文春文庫

レイクサイド

東野圭吾

文藝春秋

目次

レイクサイド

第一章

1

汚れた綿のような雲が前方の空に浮かんでいた。雲の隙間《すきま》には鮮やかな青色が見える。

並木俊介《なみきしゅんすけ》は左手をハンドルから離し、右の肩を揉《も》んだ。さらにハンドルを持つ手を替え、左肩を揉む。最後に首を左右に振るとポキポキと音がした。

彼の運転するシーマは、中央自動車道の右側車線を、制限時速よりちょうど二十キロオーバーで走っている。ラジオからはお盆の帰省による渋滞情報が流れていた。例年に比べてどこも渋滞は少ないという意味のことを伝えている。

高速道路を下り、料金所を出たところで携帯電話を取り出した。信号待ちの間に、登録してある番号の一つを選んだ。登録名が『ＥＴ』というものだった。

かけてみたが、相手の電話は留守番電話サービスに切り替わった。彼は舌打ちをし、携帯電話をズボンのポケットに戻した。

カーナビゲーションシステムの画面を見ながら、しばらく一般道路を走った。やがて車は林に挟まれた一本道に入っていた。道は緩《ゆる》やかなカーブを描いており、木々が途切れたところには小さな美術館やレストランが並んでいた。それらの建物は、いずれも異国風の洒落《しゃれ》た形をしている。

姫神湖《ひめがみこ》別荘地まであと何キロと記された看板が現れた。俊介は、ふっと吐息《といき》をついた。看板に表示された残り距離数が少なくなり、最後の看板には、『姫神湖別荘地　ココ左折』とあった。彼はハンドルをきった。紺色のシーマは森に囲まれた小道に入った。

別荘地内には細い道が迷路のように走っていた。別荘はさほど密集していない。深い森の中に、ぽつりぽつりと建物が見える程度だ。

道の脇に小さな空き地があった。そこには三台の車が並んで止まっていた。シルバーグレーのベンツ、紺色のＢＭＷ、そして赤のワゴン車だ。三台とも道路側にテールランプを向けている。

俊介は自分の車もその空き地に止め、後部座席に置いてあったバッグと白のジャケットを持って外に出た。ドアを閉めてから、ジャケットを羽織った。

空き地のすぐ横に、下におりる階段があった。その先に焦げ茶色をした建物が見える。周りには森が広がっており、別荘は緑の海に沈んでいるようだ。

大きな石を適当に並べただけのような階段を下りようとした時、かすかに女の声がした。彼は声のしたほうに顔を向けた。テニスコートが見えた。

俊介はテニスコートに向かってゆっくりと歩きだした。金網に囲まれたコートには四人の男女がいる。二対二の、いわゆる混合ダブルスで楽しんでいるようだ。

金網の近くに立ち、彼はそれまでかけていたサングラスを外した。手前に男女の背中が並んでいる。向こう側チームのサービスらしく、細身の女がラケットでボールをバウンドさせながらコートの端に立った。

ボールを投げ上げようとした時、彼女の視線が俊介を捉《とら》えて止まった。同時に彼女の動きも止まった。その様子に気づいたか、他の三人の男女も一斉に彼を見た。

「ちょっとすみません」

彼女は皆に声をかけると、ラケットとボールを持ったまま、コートの外側を回るようにして俊介に近づいてきた。金網を挟んで二人は向き合った。

「意外に早かったのね」彼女は少し息を弾ませていた。

「仕事が早く片づいてね」

他の三人もやってきた。

「御主人?」小柄な女が訊《き》いた。丸顔で化粧が濃い。

ええ、と細身の女は頷《うなず》いた。

「並木です」俊介は頭を下げた。「いつも美菜子《みなこ》と章太《しょうた》がお世話になっています」

「いやいや、それはお互い様です」五十歳前後に見える男がいった。頭に白いものが目立っている。金縁眼鏡をバンドで留めていた。「私、藤間《ふじま》といいます。で、こいつは家内の一枝《かずえ》です」

どうも、と俊介は一枝に会釈《えしやく》した。

「こちらは坂崎《さかざき》さんよ。坂崎洋太郎《ようたろう》さん」

「坂崎です」美菜子とペアを組んでいた男が挨拶《あいさつ》してきた。四十歳前に見えた。精悍《せいかん》といっていい顔つきで、身体《からだ》も引き締まって見える。

坂崎は藤間にいった。「並木さんも見えたことだし、そろそろ引き上げませんか。夕食の支度《したく》を始めなきゃいけませんし」

「そうだな。シャワーを浴びる時間も必要だしね」藤間が彼の妻にいった。

「あたしなんて、ちょっと横になりたいぐらい」

「いい歳《とし》をしてがんばりすぎだよ。だからダブルスの試合なんて、やめときゃよかったんだ」

「でも楽しかったじゃない。ねえ」一枝は美菜子に賛同を求めた。

美菜子が頷く横で、坂崎が荷物を片づけながらいった。「奥さんは上達されましたよ。以前と動きが違う」

「あらそう。自分でもちょっと自信がついてきてるのよね」

「坂崎さんやめてくれ。こいつを増長させると私が迷惑するんだ」

藤間の言葉に坂崎や美菜子は笑った。俊介はコートの外で、足元に目をやっていた。


「とりあえずビールを一杯、という気分だなあ」別荘のリビングルームに入るなり藤間がいった。彼は首にスポーツタオルをかけていた。

「だめよ。夕食時以外はアルコール禁止というのがルールなんだから」

「わかってるよ。いってみただけだ。いうぐらいかまわんだろう」

リビングルームの床は板張りで、中央に木の皮をはいだだけの太い柱が立っている。その柱は吹き抜けになった天井まで伸びていた。

柱の横に大きな木製のテーブルがあり、藤間夫妻が向き合うように座った。部屋の一画はL字型のカウンターテーブルで囲まれたキッチンになっている。坂崎が冷蔵庫を開けていた。

「ええと、皆さんは何を飲みますか。スポーツドリンク、ジュース、ウーロン茶、缶コーヒーと大抵のものは揃《そろ》っています」

「私はコーヒーだ」

「じゃあ、あたしはウーロン茶」

それらの飲み物をカウンターの上に置きながら坂崎は訊いた。「美菜子さんは？」

俊介は目を剝《む》いて二人の横顔を見た。美菜子はカウンターテーブルの前のスツールに腰掛けていた。テニスウェアの丈は短く、太股《ふともも》のかなり上まで露《あら》わになっていた。

「あたし、ジュースにしようかな」

「オーケー。ええと」坂崎が俊介を見た。「何かお飲みになりますか」

「いや、結構です」

「遠慮は無用ですよ。ここにある飲み物類は、皆でお金を出し合って買ってきたものですから」坂崎は白い歯を見せた。

「いえ、本当にいいんです」俊介は小さく片手を上げた。

「並木さん、どうぞおかけになってください。お疲れでしょう」藤間が声をかけた。

俊介は会釈をしてから、藤間の斜め向かい側に座った。

「このたびは、親子揃って御厄介になるようなことになってしまい、本当に申し訳ありません」

「いえいえ。私どものほうは場所を提供するだけです。どうか余計な気はお遣いにならないでください」藤間は顔の前で手を振った。

「ありがとうございます」俊介は再び頭を下げる。

坂崎がウェイターのように各自に飲み物を配った。配り終えた後は美菜子のいるカウンターに戻った。

「並木さんのことは美菜子さんからいろいろと伺ってますわよ」藤間一枝が薄く笑った。

「へえ。どんなことをいわれてるのか気になるなあ」俊介は美菜子を見た。彼女は口元だけに笑みを浮かべている。

「それはまあいろいろと」一枝はちらりと夫に目を向け、にやにやしたままウーロン茶を飲み始めた。

俊介はそんな彼女を少し見つめた後、誰にともなく訊いた。「ええと、子供たちはどこにいるのかな」

「勉強の真っ最中のはずです」藤間が壁の時計を見た。アンティーク調の丸い木枠の掛け時計は午後四時を示していた。「いや、そろそろ解放される時間だな」

「その後は？」

これには美菜子が答えた。「夕御飯が六時で、それまでは野外活動」

「野外活動？」

「せっかく空気のいいところに来たんだから、子供たちにもそれを満喫させてやろうということです。一日中、缶詰にされてたんじゃストレスが溜《た》まるでしょうから」藤間が説明した。

「缶詰って……じゃあ朝からずっと勉強を？」

「子供たちの一日のスケジュールはこうなっています」俊介の後ろで声がした。坂崎が入り口のドアを指していた。そこに張り紙がしてあった。一日のスケジュールを書き込んだものだ。

「七時半起床で、朝食後少し休憩して九時半から十二時まで勉強ですか。子供たちも朝早くから大変だなあ」

「朝が学習の能率が一番上がるといいますからね」藤間の声が飛んできた。「それぐらいは当然でしょう。本当は、もっと早起きさせて、朝のうちに四時間程度はやらせたいぐらいなんです。私はそういったんですが」

「でも、津久見《つくみ》先生がお立てになったスケジュールだから」彼の妻がなだめるようにいった。

「だからしたがってるじゃないか」

俊介はスケジュール表に目を戻した。午後の勉強時間は一時半から四時となっている。夕食後は自由のようだが九時から消灯の十一時までは自習時間と名付けられていた。

「子供たちはどこで勉強を?」

「この先にある別荘です。歩いてすぐのところですよ」藤間が答えた。

「ははあ」俊介は相手の顔を見直した。「そこもやはり藤間さんの?」

いえいえ、と金縁眼鏡の男は薄い掌を振った。

「そちらは貸別荘です。ログハウス風の洒落た建物ですよ」

キッチンカウンターでジュースを飲んでいた美菜子が大きなため息をついた。

「親と一緒にいたんじゃ子供たちが甘えちゃうし、気持ちも集中しないだろうからって、ほかに別荘を借りることにしたのよ。出発前に話したはずなのに、あなたって全然あたしの話を聞いてないんだから」

「そうだったかな」俊介は首を傾《かし》げ、愛想笑いを作った。

「やはり子供たちには、できるだけ良い環境を与えませんとね」そういった後、藤間は肩をすくめた。「もちろんそれ以前に、四世帯の親子が寝泊まりするには、このお粗末な別荘では狭すぎるという現実的な問題もあるんですが」

「何をおっしゃってるんですか。このあたりじゃ、一番立派な建物じゃないですか」坂崎が、やや声のトーンを上げていった。「さすがは藤間病院院長の別荘だと女房とも話してたんです」

「いやあ、やっぱりもう少し大きいほうがよかった。私はそうしたかったんだが、こいつがうるさくてね」

「あら、あたしは何もいってませんよ。家族が使うだけだから、このぐらいでいいといったのはあなたじゃありませんか」

「掃除が大変だとかいったのは誰だ」

「それはあなたが、これぐらいの大きさでいいよなあとおっしゃったので、そうですね、あまり広いと掃除も大変だしと付け足しただけです」

「そうだったかな」

まあまあと坂崎が笑いながら両手を広げた。

俊介は窓の外に目を向けた。隣のテニスコートが見える。

「それにしても、子供の勉強も変わったものですね。避暑地で別荘を借りて勉強合宿なんて、我々が小さかった頃には考えられませんでした」俊介はいった。

缶コーヒーを飲みかけていた手を止め、藤間が彼に笑顔を向けた。

「並木さんは、章太君を私立の中学に進ませることに反対だそうですね」

「いや、反対だなんて、そんな」俊介は美菜子をちらりと見てから続けた。「ただ、過酷な受験勉強をさせてまで、そういうところに進ませる意味があるのだろうかと、まあ、素朴に疑問を感じるだけです。本人が強く望んでいるならともかく、親が勝手に進路を決めてしまうというのは、果たして子供にとっていいことなんでしょうか」

藤間は大きく頷いた。

「並木さんはじつに標準的な考えを持っておられる。ここでいう標準的とは、平均的という意味でもありますが」

「平均的……ねえ」

「今おっしゃったようなことをいう親御さんは多いです。進路は本人が決めるもので、親が決めるものではない、というようなことをね。しかしこれは大きな間違いなんだな。子供の進路というのは、ある程度親が決めてやらなきゃいけないんです。少なくとも中学受験をするかしないかなんてことは、子供ではなく親が決めるべきです。子供に任せっきりではいけません」

「そうかなあ」

「だって、十一、二歳の子が、将来のことを考えて私立中学に進みたい、なんてことを自分からいいだすと思いますか。どの子供だって勉強は嫌いです。本人に任せれば、楽な道しか選ばないのは当然です。その子の将来を考え、どういう教育を受けさせればいいかについては、親が真剣に考え、決定すべきです。親以外の誰も、そんなことは決めちゃあくれませんから」

一枝が我が意を得たりという表情で頷いていた。さらに美菜子や坂崎も首を縦に動かしているのを俊介は目の端で捉えていた。

「おっしゃることはわかりますが、現実には受験があるわけでしょう。しかも半端なものではなく、かなりがんばって準備しないと合格しないような難関であることが多いそうじゃないですか。小さい頃に、そういう受験地獄みたいなところに放り込むというのは、どう考えても子供にとってプラスになると思えないんです。子供はもっと伸び伸びと育てるべきではありませんか」

彼の話の途中から、藤間は美菜子を見て苦笑いを始めていた。

「たしかに受験によって子供が犠牲にしなければならないものは多いでしょうな。それは受験が競争だからです。私立中学というのは、限られた枠の中で、できるだけ優秀な子供を入学させたいと考えています。そのために選別のための試験を行うんです。向こうが選別試験をする以上、こちらは勝ち残れるよう努力しなければならない。これはまさに競争です。でも元々社会というのは、競争原理の上に成り立っているんじゃないですか。ええと、並木さんはアートディレクターをしておられるそうですね」

「ええ、まあ」

「芸術の世界だってそうでしょ。すべては競争でしょ。伸び伸び育てるというのも結構ですけど、何かを得るためには苦労して競争に勝ち残っていかなければならないということを子供のうちから教えるのも必要じゃないですか」

俊介はテーブルに肘《ひじ》をついた。小さく唸《うな》り声を漏らした。

「それに」藤間はコーヒーで喉《のど》を潤してからさらにいった。「並木さんは受験勉強というものを何か不健康なことのように思っておられますが、それは少し違いますよ」

「そうでしょうか」

「能力の質や種類といったものは子供によって違うわけです。その子に一体何が向いているのかは、いろいろなチャンスを与えてやらないとわからない。たとえば習い事をさせたり、スポーツする機会を与えてやるのは有効な手段でしょう。私は受験勉強というのも、子供の能力を引き出すチャンスの一つだと思っています。いってみれば受験勉強というのは、サッカーや野球の練習をするのと同じことなんです。並木さんだって、親が本人の希望を訊かず、勝手に子供をスイミングスクールに入れたという話を耳にしても、さほど抵抗は感じないでしょう。今回のことだって、これがサッカークラブの合宿で、才能があると思われる子供だけが集められているということであれば、それほど不愉快には思われないはずです」

「勉強をする場としては、学校があるじゃないですか」

俊介の反論に藤間は首を振った。

「私が問題にしているのは、学校の授業などという低レベルな勉強では子供が十分に能力を発揮しきれない場合、どうすればいいのかということです。本来もっと高いレベルにまで引き上げられる能力を、そのまま埋もれさせるようなことになれば、それは親の怠慢ということになるんじゃないですか」

温厚な顔つきながら、藤間の口調は自信に満ちていた。俊介は低く唸り、前髪をかきあげた。

「藤間さんは、お子さんの勉強能力に、かなり自信を持っておられるわけだ」

「自信なんかはありませんよ」藤間が笑いながらいった。「でも期待しているわけです。もしかしたら人並み以上の結果を出してくれるんじゃないかとね。期待するぐらいはかまわんでしょう。誰に迷惑をかけるわけでなし」

「それはそうですが」

「あたしも期待してるわよ、章太に」横から美菜子が口を挟んできた。

「いや、そりゃあ俺だって同じだけどさ」

「だったらその期待を現実に変えようじゃありませんか。我々には子供たちをバックアップしてやれるだけの経済力はあるんだから」藤間が握り拳《こぶし》を軽く振った。

俊介は曖昧《あいまい》に頷いた。

「ねえ、とりあえず楽な服に着替えたら？　あたしもこれを脱ぎたいし」美菜子がテニスウェアを指でつまんでいった。

「ああ、そうだな。ええと……」

「お二人の部屋は上に用意してあります。どうぞ御自由にお使いになってください」藤間が上を指した。

並木夫妻が出ていくや否や、藤間は身体を揺すらせて含み笑いをした。

「典型的な一般人だな。芸術家だと聞いていたから、もっと柔軟な考え方をする人物かと思っていたが」

「子供はもっと伸び伸びと育てるべき、には参りましたね。それから、勉強をする場としては学校があるという台詞《せりふ》にも」坂崎も苦笑した。

「あれじゃあ美菜子さんが愚痴《ぐち》をこぼすのも無理ない。本人は放任主義を気取ってるんだろうが、じつは責任放棄にすぎんのだよなあ」藤間は缶コーヒーを飲み干し、テーブルの上でかんかんと音をたてた。

「まあでも、それは仕方ないかもしれないわよ。何しろ、ねえ……」一枝は坂崎を見た。

坂崎は答えず、苦笑の残った顔で俯《うつむ》いた。

「実の子じゃないから、ということか」

「そういうことって、無関係じゃないと思うわ。関わり合いになりたくないのよ」

「ふん、それならそれで口出ししなきゃいいんだ。章太君のことは美菜子さんに全面的に任せておけばいい」

「いつもはそうらしいですよ」坂崎がいった。「だから今回の旅行に参加するとは思わなかったって美菜子さんが」

「ふうん。じゃあ、どういう風の吹き回しかな」

「単なる気紛れじゃないかしら」

「ポーズかもしれんな。美菜子さんに対する、だ。自分だって息子のことを考えてないわけじゃないぞ、というわけさ」藤間は出窓に置いてあった灰皿と煙草に手を伸ばした。一本引き抜き、箱の上でとんとんと跳ねさせた。「ところで」火をつけ、煙を吐いてから訊いた。「アートディレクターって、一体何をする仕事だ？」

2

並木夫妻には二階の一室が用意されていた。広さは八畳ほどで、シングルベッドが二つ置かれている。壁際に整理ダンスを兼ねた小さな机が備えられていて、その上には陶器製の電気スタンドが載っていた。

「親子三人、ここで寝るわけかい」俊介は美菜子に訊いた。

「章太は向こうで泊まるのよ」

「貸別荘で？」

「そう。だってこれはあくまでも合宿なんだもの。家族旅行のようなわけにはいかないでしょ。たとえばあなた、あの子たちの消灯時間に合わせられる？」

「子供たちだけで寝るのか」

「津久見先生が一緒。それからもう一人、大人が泊まることになってるわ。今夜はたしか坂崎さんじゃないかな。心配しなくても、あなたには頼まないわよ」

「ふうん」俊介は指先で頰《ほお》を掻《か》いた。

美菜子が一方のベッドに腰掛けた。

「それにしても、あなたが来てくれるとは思わなかった」

「そうかい」

「単なる気紛れかなって、昨日も考えてたの」

「俺が来ちゃいけなかったか」

「そんなことないけど、意外なんだもの。今までは章太の進路にはノータッチだったでしょ。でも、あなたが来てくれてよかったと思ってる。受験のことを、もっとよく理解してもらいたいから。さっきの藤間さんの話、参考にならなかった？」

「君たちの言い分はよくわかったけど、いきなり理解しろといわれても無理だな」

「そんなことはいわない。知識として頭に入れておいてくれればいいの。後は黙って、あたしと章太のことを見守っててくれれば」

「黙ってねえ……」

俊介は窓際に立ち、外の様子を眺めた。木の枝の隙間から道路が見えた。

「ほかの人はどこにいるんだ。もう一組、夫婦がいるはずだろ」

「関谷《せきたに》さんたちは貸別荘に行ってるわ。津久見先生の手伝いをしているはずよ。各夫婦が交替で津久見先生の補助をするというのは、出発前から取り決められていたことだから。たしかあなたにも――」

「ああ、わかってる。聞いてるよ」俊介は手を振った。

二人が部屋を出て、階段を下りた時だった。玄関のチャイムの音がした。

「靖子《やすこ》たちかな。鍵《かぎ》はあいてると思うんだけど」

美菜子が玄関に向かったが、俊介はリビングに行った。リビングでは藤間と坂崎がチェスをしていた。一枝の姿はない。

俊介が坂崎の横に座ろうとした時、リビングのドアが開いた。

「あなた、会社の人が」美菜子がいった。

「俺の？」俊介は自分を指した。「誰だ？」

美菜子が答える前に、彼女の背後から若い女が現れた。背が高く、髪の長い女だった。

「こんにちは」女は頭を下げた。にこにこしている。

「あっ……高階《たかしな》君……」

「お忘れ物ですよ。これがなくちゃ、こっちで仕事できないでしょ」彼女は大きな茶色の封筒を差し出した。

俊介は封筒を受け取り、中を調べた。写真が数枚とパンフレットのようなものが入っている。彼は女を見た。彼女は笑顔のままだった。彼は唾《つば》を飲み込んでから口を開いた。

「そうだった。これを忘れちゃ話にならなかった。わざわざ届けてくれてありがとう」

「いいえ。それにしても、すごくいいところですね。こんなにいいところがあるなんて知りませんでした。東京は蒸し風呂みたいなんですよ。こんなに涼しくて、しかもこんな素敵な別荘で過ごせるなんて羨《うらや》ましいですわあ」彼女はそういってから美菜子のほうを振り向いた。「奥様、お幸せですね。御主人が優しい人で」

「何をいってるんだ」俊介は笑い顔を作った。「君にいわなかったかな。我々は別に遊びに来てるわけじゃないんだ。子供の勉強合宿の付き合いなんだ。中学の受験を控えているものでね」

「あら、そうだったんですか」

「君にも話したと思うけどなあ」

「でも、並木さんたちは勉強をするわけじゃないでしょ。だったら同じことじゃないですか。——ねえ」彼女は美菜子に同意を求めた。美菜子は苦笑している。

「事務所のほうはどうなのかな。僕がいなくて困ってるようなことはないのかな」

「ええ、今のところは大丈夫です」

「でも君までこっちに来ちゃって、みんな弱ってるんじゃないのかな」

俊介の言葉に若い女はくすっと笑った。

「心配なさらなくても、すぐに失礼します。並木さんはどうぞゆっくりと別荘ライフを楽しんできてください」さらに彼女はチェスをしている二人のほうを向き、深々と頭を下げた。「どうもお邪魔してすみませんでした」長い髪がノースリーブで剝き出しになった肩を覆った。

「もうお帰りですか」坂崎が腰を浮かせた。

「お茶でもいかがですか。何か冷たいものでも」藤間もあわてていう。

「いえ、これを届けに来ただけですから」女は両方の掌を振った。それから俊介を上目遣いに見た。

「じゃ、また会社で」

「うん、御苦労様」

お邪魔しましたともう一度いい、女は玄関に向かった。俊介が後を追うと、美菜子もついてきた。

「例の報告書のことはどうなってるのかな」サンダルを履いている女の背中に俊介はいった。

「報告書？」

「例の、だよ。いろいろと調べてくれることになってただろ」

「ああ」女は頷いた。「それは着々と。いずれ御報告します」彼女はちらりと美菜子にも視線を投げ、失礼します、といって出ていった。

「わざわざこんなところまで届けに来るなんて、よっぽど重要な資料なのね」美菜子が俊介の手元を見ていった。「今は電子メールとかでも送れるんでしょ」

「送れないものもあるんだ」

俊介は階段を駆け上がると、封筒を放り出し、上着のポケットから携帯電話を取り出した。登録名『ET』にかける。しかし先程と同様、留守番電話サービスに切り替わっただけだった。彼は電話をベッドに投げつけた。


高階英里子《えりこ》は別荘を出た後、その前の道を歩きだした。途中、バッグから取り出したサングラスをかけた。ついでに携帯電話の電源を入れ、留守番電話サービスに繫《つな》いだ。お預かりしているメッセージはありません、という声が聞こえた。彼女はかすかに笑って電話を切った。そしてまた電源をオフにし、バッグにしまった。

道の両側には似たような別荘がいくつかあった。だがそれらの建物に人のいる気配はなかった。

小さな空き地があり、クヌギが二本植えられていた。一本の木には古いハンモックが絡まっていた。人が座れるように切り株が二つ並んでいる。

道の左側にログハウスを模した建物が現れた。その前に子供たちが数人、散らばってしゃがみこんでいる。彼等は皆、スケッチブックを抱えていた。そのそばで中年の男女が手持無沙汰《ぶさた》そうにしている。

少し離れたところで若い男がマウンテンバイクの調節をしていた。英里子は彼に近づいていった。「こんにちは」

男はぎくりとしたように手を止め、彼女を見上げた。「あ……こんにちは」

「自転車が故障したんですか」

「いや、故障ってほどじゃないんですけど、ちょっと調子が悪くて」男は肩にかけていたタオルで汗をぬぐった。「あの、あなたもこの近くの別荘に？」

「いえ、そうじゃないんです。こちらに来てる知り合いに用があって」

「ああ……そうですか」

「あそこにいる子供たちは何をしてるのかしら」

「写生ですよ。夏休みの宿題があるんだそうです」

「あら、じゃあああの中にあなたのお子さんが？」

「いえいえ」彼は笑顔でかぶりを振った。「僕は塾の講師なんです。勉強の特別合宿とでもいうのかな、それに呼ばれまして」

「勉強の特別合宿？　へえ、面白そう」彼女は近くにあったベンチに腰掛けた。

「誰だ、あの女」関谷孝史《たかし》は道路を見上げていった。道沿いに置かれたベンチに二人の男女が座っている。

「津久見先生の知り合いかしら」関谷靖子がいった。

「なんでこんなところに知り合いが来るんだ」

「知らないわよ」

関谷は手に持っていた双眼鏡を目に当てた。よしなさいよ、と靖子がいう。

女の顔に焦点を合わせた。すると、レンズ越しに彼女と視線が合った。女はにっこり笑って片手を上げげた。関谷も思わず頬を緩めていた。

「なかなかの美人だ。プロポーションもいい」

「涎《よだれ》を垂らしたからって、どうにもならないわよ」靖子が彼の目から双眼鏡を外させた。

「津久見さんの恋人かな」

「違うと思うわよ。聞いてる話だと、もっと小柄だってことだし。それに、こんなところまでは来ないでしょ」

「そうだな」

「後で津久見さんに訊けば済むことでしょ。でも変な期待を抱かないほうがいいわよ」

「別にそんなものは抱いちゃいないさ。それはそうと」関谷は子供たちを一瞥《いちべつ》してから声を潜《ひそ》めた。「あっちの件はどうなるのかな」

「あっちの件って？」

「わかってるくせにとぼけるなよ。おまえだって期待してるんだろ。美菜子さんを誘ってみるという話だったじゃないか」

靖子は彼を上目遣いに睨《にら》んだ。「美菜子に御執心ね」

「そういう意味でいってるんじゃない」

「じゃあほかにどういう意味があるのよ」靖子は口元を曲げて笑った。関谷は横を向き、顎《あご》の横を掻いた。

「旦那さんが来るという話よ」

「旦那？　美菜子さんの？」

「そう。もしかしたら、もう来てるかもしれない。だからあれは諦《あきら》めたほうがいいわね」

「そうか、旦那が来るのか」関谷は下唇を突き出し、首を細かく縦に振った。

靖子は彼から離れ、一人の少年の背後に近づいていった。

「章太君はやっぱり絵がうまいわねえ。お父さんの影響かなあ。晴樹《はるき》も章太君ぐらい上手に描ければいいのに」

関谷も子供たちの絵を見て回った。だが特に何もコメントしなかった。時折双眼鏡を目に当てては、ベンチの二人を見上げた。

レンズに入った女の顔から先程の愛想のいい笑みが消えていた。隣にいる津久見の顔も厳しいものに変わっている。関谷は双眼鏡を目から外し、小首を傾げた。

3

並木俊介が部屋でノートパソコンを操作していると、美菜子がノックもせずに入ってきた。

「あなた、御飯よ」ぶっきらぼうな口調だった。

「もうそんな時間か」彼はパソコンの電源を切り、窓を見た。夜の色に変わっていた。

「来る早々仕事をしなくてもいいと思うけど」

「もう終わったよ」彼は腰を上げた。

階段を下りるとリビングからにぎやかな話し声が聞こえてきた。美菜子がドアを開け、先に入った。

庭に面したガラス戸が開け放されていた。藤間たちは庭に出ている。部屋にいるのは二人の女だった。どちらもエプロンをつけている。一人は藤間一枝だ。

「靖子、主人を紹介しておくわ」美菜子が一方の女に声をかけた。大柄で、やや中年太りの気配が出ているその女は、オードブルを庭に運ぼうとしていたが、トレイをテーブルに戻した。

「初めまして。関谷です」女は笑顔で会釈した。

「お噂《うわさ》はかねがね。いつもお世話になっているようですみません」

「迷惑をかけてるのはこっちなんですよ。女子大時代から美菜子には助けられてます」

そういって関谷靖子は美菜子を見て舌を覗《のぞ》かせた。

庭にいた男がやってきた。額の後退した、痩《や》せた男だ。笑っている。

「関谷です。ええと名刺は持ってなかったかな」ズボンのポケットをまさぐった。

「並木です。今日は、いろいろとお世話になっているようですみません」

「交替ですることですから、気にしないでください。こっちが並木さんのお世話になることもあるわけだし」

「建築の仕事をなさってるそうですね。いかがですか、景気は」

「だめです。まだしばらくは辛抱を強いられそうだ」大げさに顔をしかめた。

関谷の後ろに若い男が立っていた。彼もまた俊介を見上げている。

美菜子が横からいった。「あなた、津久見先生よ」

「ああ、あなたが」俊介は頷いた。

「よろしくお願いします」青年は頭を下げた。

「章太がお世話になっています。お手を煩《わずら》わせていなければいいのですが」

すると津久見はかぶりを振った。ぐっと顎を引き、上目遣いをした。

「章太君はいい子です。成績も優秀です。こちらが苦労することは何もありません。御両親の育て方がいいのでしょう」口元はかすかに笑っているが、真剣といっていい表情だった。

「私は何もしていないんですけどね」俊介は苦笑を浮かべた。

「でも、今回はわざわざこんなところまでいらっしゃったじゃないですか。忙しい合間を縫って」津久見はいった。「不熱心な人にはできないことです。それとも何かほかに目的が？」

俊介は苦笑を消し、塾講師の顔を見返した。「いえ、そういうわけでは……」

「でしょう？　章太君はいいお父さんを持ったということです」

俊介は改めて曖昧な笑みを作り、首を傾げてみせた。

「遅くなってすみません」俊介の背後で声がした。振り返ると、坂崎が一人の女を連れてリビングに入ってくるところだった。女は日本人形のような顔立ちをしていた。だがその顔の白さには青みが含まれていた。長いワンピースを着ている。

「君子《きみこ》さん、大丈夫？」美菜子が心配そうに訊いた。

女は薄く笑って頷いた。「平気よ。ごめんなさいね、手伝えなくて」細い声でけだるく答えた。

「そんなことはいいんだけど、熱は下がったの？」

「三十七度はないようです。もう平気だと思います」坂崎が代わりに答えた。

「あまり無理しないようにね。いくらでも寝てていいんだから」藤間が庭からやってきて声をかけた。

「ありがとうございます。でもそれじゃ、何のために来たのかわかりませんし」彼女の視線が俊介の顔の上で止まった。「あの、美菜子さんの……」

「並木です」俊介は頭を下げた。そしてまた先程と同様の挨拶が交わされた。坂崎君子は昨日から体調が悪く、今朝からずっと寝ていたということだった。

「生まれつき病弱らしいのよ」坂崎夫妻と離れた後、美菜子が俊介の耳元で囁《ささや》いた。

その時だった。玄関のチャイムが鳴った。一瞬全員が顔を見合わせた。

「あっ、例のゲストじゃないかな」津久見が誰にともなくいってから藤間を見た。「先程お話しした」

ああ、と藤間は小さく頷いた。

津久見が玄関に出ていってから俊介は美菜子に訊いた。「ゲストって？」

さあ、と彼女も首を傾げた。

やがて津久見が戻ってきた。彼の後から入ってきた人物を見て、俊介は目を剝いた。

高階英里子だった。

「やあ、ようこそ」藤間が愛想良く声をかけた。

「厚かましく来てしまいました。津久見さんたちのお話を伺ってたら、とても楽しそうでしたから」

「こちらこそ、若くて奇麗な女性に加わってもらえたら、一層楽しいですよ」関谷も話に入ってきた。

「あれ、あの、ええと……」俊介は英里子や藤間たちの顔を交互に見た。「これはどういうことなのかな。君、あのまま帰ったんじゃなかったのか」

「そのつもりだったんですけど、途中で津久見さんや関谷さんにお会いして話しているうちに、夕食でもどうですかって誘っていただいたんです」英里子はにこにこしながら全員の顔を見回した。

するると関谷が説明した。「だって並木さんの忘れ物を届けるためだけに来たっていうじゃないですか。せっかくこんな空気のうまいところまで来て、とんぼ返りじゃ気の毒だ。せめて一晩ぐらいは楽しんでもらおうって思ったわけなんです」

「一晩って、ここに泊まるのかい」俊介は英里子に訊いた。

「泊まる場所ぐらいは何とでもなりますよ」藤間が口を挟んだ。「並木さんとしては会社の人に私生活を見られたくないでしょうが、今日は高階さんは我々のゲストだと思ってください」

「でも——」

「いやあ、それは楽しいなあ」坂崎が能天気な声を発した。「すぐに帰られたんで残念に思っていたんですよ。これでバーベキューパーティが一気に新鮮になりました」

「あら、見飽きた顔ばかりで申し訳ありませんわね」

関谷靖子の言葉に何人かが笑った。

俊介は無言で英里子を見た。彼女は彼の目を見返し、意味ありげな笑みを浮かべた。

4

夕食はリビングルームと庭を使ってのバーベキューだった。食事中だけが親子が一緒にいられる時間なので、自然と家族単位でひとかたまりになる。

「勉強のほうはどうだ。はかどってるのか」串に刺さった肉をかじっている章太に、俊介は尋ねた。二人はビールケースを椅子《いす》代わりにして、並んで座っていた。美菜子は少し離れたところで皆に飲み物を配っている。

「うん。まあまあ」章太は抑揚のない声で答える。耳が隠れるほど長い髪は、美菜子の好みだ。手足が長く、首も細い。

「朝から晩まで勉強じゃ、大変だろ」

「でも仕方ないから」章太は下を向いたまま答えた。

俊介は缶ビールを持ったまま、章太の耳に口を近づけた。

「受験なんかどうだっていいんだからな。章太が私立中学に行きたくないというなら、それでもいいんだ。嫌なことを無理にする必要はない」

章太は無反応だった。串を手に、俯いているだけだ。やがて息を吸い込む気配があった。しかし十一歳の子供の口から漏れたのはため息だけだった。

俊介は英里子の行方を探した。彼女は坂崎と何やら楽しそうに話している。その手にはワイングラスがあった。

「どういうつもりなのかしらね」いつの間にか隣に来ていた美菜子が俊介の耳元でいった。「忘れ物をわざわざ届けに来たかと思えば、急にこんなところに現れたりして」

「君は彼女が招待されていることを知らなかったのか」

「知らないわよ」

「俺も彼女はすぐに帰ったものだと思ってたんだ」

「いくら誘われたからって、のこのこやってくるなんて、ちょっと厚かましすぎるわね。津久見先生たちだって、社交辞令で誘ったに決まってるのに」

俊介は黙って缶ビールを傾けた。

坂崎が英里子から離れるのが見えた。彼女はちらりと俊介のほうに視線を投げてくる。彼は立ち上がり、彼女に近づいていった。美菜子は関谷靖子としゃべり始めている。

「楽しいお仲間たちね」英里子が上目遣いに俊介を見た。

「どうしてケイタイの電源を切ってるんだ。何度もかけたんだぞ」

「あらそう。でもあたしに急用なんかはないと思ったから」

「まあいい。それよりこれはどういうつもりなんだ」

「何かいけなかった？」

「いいわけないだろ。何のためにこんなところまで来たんだ。俺が忘れ物をしたなんていう嘘《うそ》までついて。事務所の連中には何といってあるんだ」

「事務所には休暇届を出したの。でもそんなふうに叱《しか》られる覚えはないんだけどな。あたしはあなたの指示にしたがってるだけなんだから」

「俺の指示？　俺はここへ来いなんていった覚えはないぜ」

「でも、例のことがあるでしょ」

「あれのことは」俊介は周囲に目を配ってから声を落とした。「たしかに例のことを頼んだけど、こんなところまで来る必要はないだろう。むしろ、奴らが留守中に調べられることがあるはずだ」

「だから」英里子は唇からピンク色の舌を少し覗かせた。「調べられることは全部調べたのよ。その仕上げとして、ここまで来たの」

「じゃあ、何か摑《つか》めたのか」

「まあね」英里子が唇の片端をわずかに上げた。

「誰なんだ相手は？　やっぱり津久見か」小声だが、語気が強くなった。

「あんまり怖い顔してると怪しまれるわよ。奥さんがこっちを見てる」英里子が彼の背後に視線を向けた。「詳しい話は後で。この近くにレイクサイド・ホテルというのがあるんだけど、知ってる？」

「いや、気づかなかったな」

「別荘地を出て、左に五十メートルぐらい行けばあるわ。そこの一階がラウンジになってる。十時……いえ、十時半にそこで会いましょう。そこのラウンジは十一時まで営業してるみたいだから」

「よく知ってるんだな」

「だって、そのホテルに泊まってるんだもの」

「泊まってる？　でもさっきはここに泊まるようなことをいってたじゃないか」

「そうしてほしいの？」唇に笑みを残したまま彼を見上げた。

　俊介は一旦《いったん》目をそらしてから改めて彼女の顔を見た。

「そんな時間にここを抜け出すとなると口実が難しいな」

「だったら、別に来なくてもいいのよ」

「必ず行くよ。でも相手の名前だけでも、今ここで聞きたいな」

「今はまだ話せない。だけどあと二時間後にはわかってると思う。大丈夫よ、尻尾《しっぽ》は摑んだんだから」そういうと彼女は俊介の脇をするりと抜けた。さらに彼に背中を向けたまま付け足した。「章太君っていい子みたいね。勉強もできるみたいだし。志望中学にもきっと合格するわ」

俊介は息を吸い込んだ。だが彼が声を発する前に英里子は足早に離れていった。

「寝る前にすることは決めてあるのか？」藤間は息子の直人《なおと》に訊いた。庭に出されたテーブルで、向き合って座っている。

「漢字テスト」直人は面倒臭そうに答えた。小柄で少し太め、女の子のように白い顔をしている。

「何ページするんだ？」

「わかんないよ、そんなこと」

「だめだ、それじゃあ。どこまでするかを最初に決めておくんだ。だらだらしてしまうからな。わかった、じゃあ三ページするんだ。それでもし少し時間が余ったら、算数の問題集。いいな」

息子は白けた顔で頷いている。焼き鳥をかじっているが、少しも旨《うま》くないという表情だった。

「ねえ、章太君て、そんなによくできるの？」隣で二人のやりとりを聞いていた一枝が、直人に問うた。直人はジュースを飲み、黙って首を傾げた。

「なんだ、どうして章太君のことをいうんだ」藤間が訊く。

「だって、さっき津久見先生がいってたじゃない。章太君は優秀だって」

「あんなのは単なる社交辞令だろう。気にすることはない」

「でも、もし章太君が受かって直人が落ちたら……」

「よせ」藤間は眉間《みけん》に皺《しわ》を刻んだ。「そんなこと、あるわけないだろ。直人は俺の息子なんだぞ」

「だけど、万一ってことがあるじゃない」

「そんなものはない」藤間はビールを呷《あお》った。「打つべき手は全部打ってある。それはおまえだってわかってるだろ」

「それはそうだけど……」

「何も心配しなくていい。直人が勉強しやすい環境のことだけ考えろ」

一枝は浮かない顔で吐息をついた。

「無理してまで来る必要はなかったんじゃないのか」串に刺さった肉をかじり、坂崎は妻にいった。君子は殆《ほとん》ど何も口にせず、水ばかり飲んでいる。肌寒いのか、カーディガンを羽織っていた。長男の拓也《たくや》は少し離れたところでパイナップルを食べている。

「だって、絶対に合宿には参加させるべきだっていったのはあなたよ」

「だから拓也のことは俺一人で十分だっていってるんだ。こんなところまで来て熱を出したら、ほかの人に迷惑だろうが」

「じゃあ何、あたしだけ留守番してればよかったの？　あなたのおかあさんと二人きりで、あの狭いマンションで」

「実家に帰ったってよかったんだぜ」坂崎は串を皿の上に放った。

君子は夫の顔を見ず、カーディガンの上から自分の身体をこすった。

「よっぽどあたしには来てほしくなかったのね」

「そうじゃなくて、体調が悪いなら無理することなかったといってるんだ」

「いいのよ、そんな言い訳しなくたって。あたしが何も知らないと思ってるの」

妻の言葉に、一呼吸置いてから坂崎は訊いた。「何のことだ」

「とぼけなくたっていいのよ。昼間だって、あんなに楽しそうにテニスしてたじゃない」

「何だよ、それ。俺がテニスをしちゃいけないのか」

「そんなことといってないわ。わかってるくせに」

「何のことか、さっぱりわからないな」坂崎は立ち上がった。

八時になり、子供たちは貸別荘に戻ることになった。それぞれの親たちも、見送るために玄関ホールに集まった。

「じゃあ坂崎さん、息子たちのことをよろしくお願いします」藤間一枝が坂崎にいった。

「ええ、任せてください」

「あら、坂崎さんはあちらの別荘に？」高階英里子が訊いた。

「ええ。津久見先生だけに任せるのは申し訳ないですからね」

「そうなんですか。向こうの別荘も素敵なんでしょうね、きっと」

「どうかな。何しろ貸別荘ですからね」坂崎は首を傾げてから英里子にいった。「何なら一緒に行きますか」

「いいんですか」彼女は目を見張った。

「いいんじゃないですか、別に」坂崎は他の者たちに目を向けた。

「貸別荘といっても、なかなか立派なものですからね。ここなんかよりも新しいし」藤間が愛想笑いをしながらいった。

「じゃあ、少しだけ見せていただけます？」

英里子に訊かれ、坂崎は何度も頷いた。「ええ、どうぞどうぞ」

「そうなると高階さんの部屋を決めるのは少し待ったほうがいいな。貸別荘のほうが気に入ったといわれちゃうかもしれないからなあ」藤間の言葉に何人かが表情を緩めた。

そんなやりとりがあり、坂崎は四人の子供たちを連れ、英里子と共に藤間の別荘を出た。子供たちを先に行かせ、その後を二人でついていく。

「並木さんが羨ましいなあ。高階さんみたいな人といつも一緒に仕事ができるわけなんだから」坂崎が歩きながらいった。ちらちらと高階英里子の横顔を盗み見していた。

「お上手なんですね。いつも女性にはそんなふうにお世辞を？」

「いや、マジですよ。そりゃあね、こういう言い方をすれば調子よく聞こえるかもしれませんけど、本当に素敵な女性だなあと思ってたんです」

「どうもありがとうございます」歩きながら頭を下げた後、英里子は前を行く子供たちを見ていった。「拓也君って、運動神経が良さそうですね。何かスポーツを？」

「サッカーをやらせています。運動神経はいいようですが、頭のほうはちょっとね。みんなの足手まといになってないか心配です」

「だけど私立中学を目指してるんでしょ。すごいじゃないですか」

「目指すぐらいのことは誰にでもできるでしょ。僕個人は地元の公立でもいいと思ってるんですけど、いろいろと付き合いがありましてね」

「付き合いで中学受験？」

「ええまあ、成り行きというか……」坂崎は語尾を濁《にご》した。

ログハウス風の貸別荘に到着した。坂崎が鍵をあけるのを子供たちは黙って見ている。ドアを開いて中に入る時も、彼等は無言のままだった。

「四人とも同じ靴を履いてるんですね。学校指定のものですか」子供たちの脱いだ靴を見て英里子がいった。

「藤間さんの紹介で、同じ靴屋で買ったんです。頭がよくなる靴らしくて」

「頭が？」英里子は、くすっと笑った。

「まあ、笑うのが当然でしょうね。僕だって、話を聞いた時には本気にしなかった。いや、今でも信じてるとはいいがたいな。おまじないのようなものかな」

「科学的根拠ってあるんですか」

「一応はね。何でも、人というのは足の長さが左右で違うから、そのバランスをとるために徐々に背骨が歪《ゆが》んでいくというんです。で、背骨には脊髄《せきずい》があって、その神経が脳に達しているから、背骨が歪んでると脳の働きが悪くなると」

ああ、と英里子は頷いた。「それだけ聞くと納得できますね」

「でしょう？　だけど世の中には、姿勢の悪い秀才はいっぱいいますからね」

二人が話している間に、子供たちは階段を上がっていった。坂崎は廊下の奥のドアを開けた。そこは広いラウンジになっている。中央に大きなテーブルが一つ。その横に立てられているホワイトボードは、藤間が持ってきたものだ。

「素敵な別荘。料金はどうなのかしら。あたしも今度、誰かと一緒に来ようかな」丸太を重ねた壁を見回して英里子が呟《つぶや》いた。

「いい人でもいるんですか」坂崎はにやにやして訊いた。しかし彼女は微笑《ほほえ》んだだけだ。

坂崎は小さな流し台の横の冷蔵庫を開けた。

「何か飲みませんか。ちょっとした飲み物ぐらいならあるという話でしたから」英里子の返事はないが、彼は缶ジュースを二つ取り出した。アルコール類は見当たらなかった。

「今夜は津久見先生と二人で守衛さんをされるわけですね」

「当番ですからね」坂崎はテーブルに缶ジュースを並べて置き、椅子にかけた。「あなたも座りませんか」

「奥様の具合がよくないようですけど、いいんですか」

坂崎は缶ジュースのプルタブを引き、片側の頬で笑った。「いつものことなんです。手術をしてから病気がちになりました。もう慣れっこです」

「手術?」

「悪性の腫瘍《しゅよう》ができましてね、子宮も卵巣も取りました」

まあ、というように口を開け、英里子は椅子に座った。坂崎とはテーブルを挟んだ位置だ。

「いろいろと大変ですよ、女房が女でなくなるというのはね」坂崎は眉《まゆ》を寄せ、缶ジュースを飲んだ。それから英里子を見た。「さっきの質問ですけど、どうなんですか」

「さっきの質問って?」

「恋人ですよ。いるんですか」

「さあ、どうかしら」英里子は改めて微笑んだ。

5

藤間の別荘では、坂崎夫妻を除く全員がリビングルームのテーブルについていた。津久見は立ったまま全員の顔を見回した。

「次に時事問題の対策についてお話ししたいと思います。といっても、時事問題という科目があるわけではありません。歴史や地理、公民の問題に、時事問題が巧みに絡めてあるということです。配点自体はさほど大きくはありませんが、この種の問題は、できる子供は確実に拾っていきます。特に捻《ひね》ってあるわけでもなく、単に知識だけの勝負ですから、解けて当然という考えを持っていたほうがいいでしょう」津久見は端正な顔に殆ど表情を浮かべず、アナウンサーのように歯切れよく話した。「食事どきにテレビを見る習慣のあるお宅では、極力ニュース番組を見るようにしてください。番組と時間が合わない場合は、ビデオに録画しておいて食事どきに流すという手もあります。お子さんだけに見せるのではなく、必ず御家族で見て、ニュースのことを話題にしてください。そのほうが印象に残りますから。もしお子さんにわからない言葉が出てきた時などには、即座に説明できるようにしておいてください」

俊介は欠伸《あくび》を嚙《か》み殺し、テーブルの下で腕時計を見た。八時四十分になっていた。

「子供に説明なんて、あたしにできるかしら」藤間一枝が心細そうな声を出した。

「できるように日頃から勉強しておいてください」津久見は突き放すようにいった。

「万一答えられなくても、後回しにせず、必ずその場で調べてください。時事に関することでしたら、新聞をひっくり返せば大抵わかるはずです」

塾講師の話に親たちはしきりに頷いていた。俊介もメモをとるふりをした。

「今年、これまでに起きた重大ニュースを整理しておかなきゃならんなあ」藤間が妻のほうを見ていった。

「それも大事ですが、むしろこれから年末にかけてのニュースを重視されたほうがいいと思います。入試問題が作成されるのはこれからです。問題を作るのも人間ですから、やはり記憶に新しい事件を盛り込もうとする傾向があるようです」

「なるほど。問題の作成はこれからか」藤間が呟いた。その横で関谷が小さな咳をした。

津久見の話が終わった時には、時計の針は九時過ぎを示していた。

俊介は美菜子の耳元でいった。「まさか親にも勉強会があるとは思わなかったよ」

「大したことじゃないでしょ」

「そのとおりさ。大した話じゃない。彼の口調を聞いてると経営コンサルタントのことを思い出す。内容は乏しいのに、あのもったいぶった口振りのせいで、重要な話でも聞いてるような錯覚に」

彼の話を聞き終える前に美菜子は立ち上がった。「先生、どうもお疲れ様でした。コーヒーを淹《い》れますね」そしてキッチンのほうへ歩きだした。

「あ、いや、僕は結構です」津久見は小さく手を振った。「子供たちのことが気になりますから」

「いいじゃないですか、コーヒーを飲む間ぐらい」藤間が引き留める。

「いえ、本当に結構です。ありがとうございます」

「僕もコーヒーはいりません。部屋ですることがあるので」そういって関谷が先に出ていった。

二、三分後、津久見が戻ってきた。怪訝《けげん》な顔をしている。

「あら、先生。お忘れ物ですか」美菜子が訊いた。

「いや、あの……僕の靴がなくなっているんです。しかも、片方だけ」

「靴が？　片方だけ？」藤間は半笑いでいった。「坂崎さんが間違えたのかな。でも片方だけというのも妙だな」

皆が玄関に向かった。俊介も続いた。

玄関には男物の革靴や女物のサンダルなどが奇麗に並んでいた。だがそれらから少し離れたところに、スウェードのスニーカーの左側だけが置いてあった。

「あら本当。おかしいわね」俊介の後からついてきた美菜子が、片方だけのスニーカーを見下ろしていった。

「靴箱の下に入っちゃったのかしら」藤間一枝が靴箱の下を覗き込んだ。「ないみたいだけど……」

「おかしいな。坂崎さんが間違えて履いていくことはありえんわけだし」藤間はさっきと同じことをいった。

「外にあるとは思えないけど」関谷靖子が首を傾げながらもサンダルを履き、外に出た。

「たしかにここで脱いだんですか」俊介は津久見に訊いた。

「たしかです。だって左側はここにあるんですから、それは間違いないです」

藤間夫妻は改めて靴箱の中を調べ始め、美菜子も外に出ていった。俊介も後に続いた。

外では靴探しが始まっていた。関谷靖子などは懐中電灯を手に、少し離れた草むらの中まで探っている。

「どうもすみません」後ろで津久見がいった。「どうしてこんなことになっちゃったんだろう」

「野良猫が引っ張っていっちゃったのかもしれませんねえ」箒《ほうき》の先で草むらをかきわけながら美菜子がいった。

「野良猫なんかいたかしら」関谷靖子が建物に沿って歩きながらいった。「いたとしても玄関のドアを開けられる？」

「子供が悪戯《いたずら》したんじゃないのかな」俊介も意見を述べた。「あっちの別荘に戻る途中、わざと隠したとか」

「そんな子供っぽいことをする？」と美菜子。

「だって子供じゃないか」

「あなたが思っているほど子供じゃないという意味よ」

「そうかなあ」俊介は首を捻った。

関谷靖子が、あっと声を上げた。草むらの中で屈《かが》み込んだ彼女は、次にはスニーカーの片方を持って立ち上がった。「津久見先生、これじゃないですか」

「あっ、それです。間違いありません」

「どうしてそんなところにあったのかしら」美菜子がなぜか俊介を見た。彼は両手を横に広げた。

「とにかく見つかってよかったですよ。皆さん、どうもありがとうございました」津久見は頭を下げ、見つかったばかりのスニーカーを右足に履いた。

「見つかりましたか」まだ玄関にいた藤間がいった。「一体どういうことでしょうなあ。こんなことは今まで一度もなかったのに」

「やっぱり野良猫の仕業でしょう。さあ皆さん、どうか中に入ってください。冷えますから」

津久見にいわれ、俊介たちは別荘に入った。だが津久見だけは入らず、そのまま左足にも靴を履くと、その場で頭を下げた。「お騒がせしました。ではまた明日」

おやすみなさい、と全員で塾講師を見送った。

6

俊介は自分たちの部屋に戻り、出かける支度をした。それから五分ほど待ち、下りていった。リビングで藤間たちと話をしていた美菜子が、彼の姿を見て口を開けた。「どうしたの、こんな時間にそんな格好をして」

「ちょっとまずいことになった」俊介は渋面を作った。「先日作ったプロモーションビデオで問題が発生したらしい。仕方がない、今から行くよ」

「行くって、仕事に？　こんな時間に？」美菜子は目を丸くした。ほかの者たちも驚きの表情を浮かべた。

「明日の昼までにはかたをつけたいんだ」彼は藤間たちのほうを向き、頭を下げた。

「そういうわけで急用ができてしまいました。来たばかりだというのに申し訳ないんですが、一旦失礼させていただきます」

「いやあそれは仕方がないことです」

藤間に続いて彼の妻がお愛想を述べる。

「でもお気をつけになってくださいね。夜中の運転は大変でしょうから」

ありがとうございます、と俊介はもう一度頭を下げた。

俊介が玄関に行くと、彼の靴だけが揃えて置いてある。ほかの靴は見当たらない。

「一枝さんが片づけたのよ」美菜子はいった。「津久見先生の靴があんなことになったから、ちょっと気にしてるみたい。大したことでもないのに」

「ふうん」

藤間夫妻が見送りに出てきた。ほかの人たちには自分のほうから説明しておきましょうと藤間がいった。改めて礼と詫《わ》びを述べ、俊介は別荘を出た。美菜子も後をついてきた。

車に乗り込もうとする彼に彼女はいった。「一体どういうことなの？」

「どういうことって？」

「こんな時間に帰るなんて」

「だからそれはさっき説明したじゃないか。トラブルが発生したんだよ」

「今までそんなこと一度もなかったじゃない。どんなトラブルなの？」

「君に説明したってわからないよ」俊介は車に乗り込み、シートベルトを締めた。エンジンをかけ、パワーウィンドウを開ける。「朝までには問題を解決させる。そうしたら戻ってくる」

それについて美菜子は何ともいわなかった。ただ黙って夫の顔を見ているだけだ。俊介は窓を閉め、車を発進させた。

別荘地を出て数十メートル走ると、『LAKESIDE　HOTEL』と書かれた看板が見えた。こぢんまりとした建物だが、玄関前の駐車場は広かった。車は二、三十台止まっているようだが、それでも空きスペースが半分以上残っている。俊介は車を隅のほうに止め、上着を手に歩きだした。

二重になったガラス扉をくぐると、左側にフロントがあり、その前がロビーになっていた。俊介は奥に目を向けた。オープンスペースのラウンジがあり、まだ多くの客で賑《にぎ》わっている。

彼はホテルの入り口がよく見える位置に腰を落ち着け、バーボンソーダを注文した。さらに上着のポケットから煙草を取り出し、ジッポのライターで火をつけて、深々と一服した。彼の吐き出した灰色の煙が、照明を落とした空間に揺れた。

バーボンソーダを半分ほど飲んだところで彼は財布を取り出し、運転免許証やレンタルビデオ店の会員カードなどを押し込んであるポケットの中を見た。コンドームの袋の端が見えた。彼は財布を元の場所に戻した。それからまた煙草を吸い、バーボンソーダで喉を潤した。

二杯目のバーボンソーダに口をつけた後、時計を見た。すでに十一時近くになっていたが、英里子は現れなかった。周りの客は徐々に席を立ち始めている。俊介はもう一本だけ煙草を吸い、五分間だけ待った。その煙草を灰皿の中で揉み消しながら、彼も腰を上げた。何度か交換されたにもかかわらず、灰皿の中には吸い殻の山ができていた。

ラウンジを出た後、彼は携帯電話を取り出し、『ET』として登録されている番号にかけてみた。今日、何度か留守電サービスのメッセージを聞かされた番号だ。ところが今度は繋がった。呼び出し音が彼の耳に届いた。

ところが十回以上鳴らしても、英里子は電話に出なかった。俊介は諦めて電話を切り、液晶画面を見ながらリダイヤルを押した。表示されている文字は間違いなく『ET』だった。そのまま少し待っていると、今度はいつもの留守電サービスに切り替わった。彼は舌打ちした。何をやってやがる、思わず口の中で呟いた。

ラウンジが閉店になり、ウェイターたちが後片づけを始めた。残っていた客も、三々五々に散っていく。何人かはホテルのエレベータに乗り、何人かはホテルを出ていった。俊介も吐息をひとつついてからガラス扉をくぐった。

車に戻り、もう一度電話をかけてみたが、結果は同じことだった。彼は頭の後ろで手を組み、身体をのけぞらせた。大きなため息が出た。

携帯電話を取り上げ、今度は別に登録してある番号にかけた。呼び出し音が鳴る。四回目が鳴り終えたところで電話が繋がった。

「はい、藤間でございますが」藤間一枝の抑えた声が聞こえた。

「もしもし、こんな時間に申し訳ありません。並木です」

「あ、並木さん……どうされました」

「いや、ちょっと、いろいろありまして。女房はいますか」

「ええと……はい、いらっしゃいます。替わりましょうか」

「お願いします。あ、ちょっと待ってください。高階君はどうしたでしょうか」

「高階さん……ですか。さあ、ここにはいらっしゃいませんけど」

「どこにいるかわかりませんか。連絡がとれないんですが」

「さあ……」藤間一枝は少し沈黙した後で訊いた。「あの、とにかく美菜子さんに替わりましょうか」

「あ、お願いします」

俊介は携帯電話を耳に当てたまま、ハンドルの端を指先で叩《たた》いた。その間もホテルの玄関に目を向けていた。高階英里子はやはり現れない。

「もしもし」美菜子の声が届いた。いつもより、幾分低く聞こえた。

「ああ、俺だ」

「どうしたの」

「いや、じつはさっき連絡が入って、トラブルは解消したということなんだ。それで、そっちに引き返すことにした」

「引き返すって……ここへ戻ってくるということ？」

「うん。もう高速の手前で引き返した。あと十分ちょっとで着くと思う」

美菜子の返事がない。

「どうかしたのか」彼は訊いた。「戻っちゃいけないか」

「いえ、そんなことはないんだけど……急な話だからちょっと戸惑ってるだけ」

「とにかくそういうことだから、ほかの人にもそう説明しといてくれ」

「わかりました」

よろしく、といって俊介は電話を切った。それから時計を見た。十一時十分になっていた。

十一時二十分になると彼はエンジンをかけ、車を動かした。来た道を引き返し、別荘地に入っていった。そして先程まで止めていた駐車場に、再び車を入れた。藤間の別荘は、まだどの窓にも煌々《こうこう》と明かりが点《とも》っていた。

インターホンのチャイムを鳴らして待っていると、鍵の外れる音がしてドアが開いた。藤間が立っていた。

「お疲れ様です」藤間は俊介を見ていった。その顔に、数時間前の愛想笑いはなかった。

「事情は女房から聞いていただけましたか」

「ええ、トラブルは解決したとか」

「そうなんです。それですぐに舞い戻ってきたというわけです。勝手をいいまして、申し訳ありません」俊介は頭を下げた。

「いいえ、そんなことはいいんですが」藤間は俊介のほうを見ず、ドアを施錠した。

いつの間にか玄関ホールに関谷夫妻と藤間一枝も出てきていた。彼等を見て俊介は、

「どうもお騒がせしてすみません」と改めて頭を下げた。

しかしそれに対して答える者はいなかった。全員が暗い顔つきで俯いている。

「どうしたんですか」俊介のこの問いかけにも返事がなかった。「女房は……美菜子はどこにいますか」

関谷靖子が息を吸う気配があった。それで俊介が目を向けると、彼女は上目遣いに彼を見た。

「彼女はリビングにいます」

「何かしてるんですか」

「そういうわけじゃなくて」靖子はまた下を向いてしまった。

「並木さん」藤間が声をかけてきた。「奥さんのところに行ってあげてください」

俊介は藤間を見て、さらにもう一度皆の顔を見回してから靴を脱いだ。廊下を進み、リビングのドアを開けた。

一瞬リビングは無人に見えた。しかしそうではなかった。俊介が奥に進むと、テーブルの陰でしゃがみこんでいる美菜子の姿があった。膝《ひざ》を抱え、その両手の中に顔をうずめていた。

「何してるんだ、そんなところで」

彼が声をかけると、美菜子はゆっくりと顔を上げた。涙で目の周りの化粧が崩れている。そして右手首には包帯が巻かれていた。

「どうしたんだ、その怪我《けが》……」

しかし彼女は虚《うつ》ろな目で彼を見上げてくるだけだった。

「私から説明しましょう」俊介の後ろで声がした。藤間たちが入ってきていた。「じつはつい先程――」

「待ってください」美菜子が藤間の声を遮った。「あたしから話します」彼女はひどくだるそうに立ち上がった。包帯には血が滲《にじ》んでいた。

「どうなってるんだ。何があったんですか」俊介は藤間たちに訊いた。

「説明してあげる。あたしと一緒に来て」そういうと美菜子はリビングを出ていった。

俊介は後をついていった。

階段を上がると、彼等に与えられている部屋の前で美菜子は立ち止まった。ドアのノブを摑み、俊介を振り返った。「驚かないでね」

彼は唾を飲み込んだ。藤間や関谷たちも後ろに来ている。

美菜子がドアを開けた。だが彼女は中に入ろうとせず、俊介にいった。「何があったのか、あなたの目で確かめて」

俊介は美菜子の前を通り、ドアの内側に足を踏み入れた。その瞬間、わっと声を上げていた。

ベッドの横で女が倒れていた。ノースリーブのワンピースに見覚えがあった。

「英里子……」俊介は二、三歩近づいたところで足を止めた。身体が震えだしていた。

高階英里子は目を開けていたが、その視線は虚空《こくう》にあった。頭の下になっている絨毯《じゅうたん》が赤黒く染まっている。剝き出しの肩も腕も、土の色に変わっていた。

彼は口元を手で押さえた。その手の下で呻《うめ》いた。「どうしてこんなことに……」

美菜子が彼の横に立った。彼と同じように英里子を見下ろし、そして呟いた。

「あたしが殺したのよ」

7

俊介は妻の横顔を凝視した。「何といった？」

美菜子は機械仕掛けのようなぎくしゃくした動きで、彼のほうに首を回した。

「殺したっていったの。あたしがこの人を……この人の頭を殴って死なせたの」

「どうして……」俊介の声はかすれていた。

「並木さん、これにはいろいろと事情があるようなんです。落ち着いて美菜子さんの話を聞いてあげてください」藤間が後ろからいった。

「落ち着けといわれても……」俊介は英里子の死体と妻の顔を見比べた後、一回大きくかぶりを振った。

「下に……とりあえず下に行きませんか。こんなところで騒いでたら君子さんが目を覚ましてしまうし」関谷がいった。

「そうだね。並木さん――美菜子さんも、下に行きましょう」藤間が同意する。

関谷靖子が美菜子の身体を支えるようにして、彼女を廊下まで導いた。俊介もその後に続いたが、部屋を出る前にもう一度振り返った。英里子の傍らには壊れた電気スタンドが転がっていた。割れた陶器の部分には血がついている。それを見て彼は再び身体を震わせた。

リビングに戻ると関谷靖子がコーヒーを淹れるといってキッチンに行った。俊介と美菜子はテーブルの角を挟む形で座り、藤間夫妻と関谷も同席した。

「並木さんがここを出られて少しした後、あの人がここへ来たんです。高階英里子さんです」藤間が開口した。「今と同様、我々はここにいました。すると高階さんが入ってきて、美菜子さんに話があるといったんです。我々は、高階さんも並木さんと一緒に東京に帰られたと思ってましたから、ちょっと驚きました」

「今回の仕事上のトラブルは彼女とは関係がなかったから……」俊介は言い訳した。

「そのようですね。それで美菜子さんが、どういう話かと訊くと、二人きりで話したいと高階さんはいったんです。だったら部屋で話そうと美菜子さんがいい、二人はここを出ていきました。その後、十五分ぐらいしてからだったかな、美菜子さんが一人で戻ってきました。彼女を見て、我々は驚きました。明らかに様子がおかしかったからです。手首から血を流していますし。どうしたんですか、と私は訊きました。すると美菜子さんは……」そこで藤間は口を閉じ、美菜子を見つめた。彼女はテーブルの表面に視線を落としている。

「彼女を殺した、といったんですか」俊介は訊いた。

「まあそういうことです」

「それでびっくりして、僕たちも二階に行ったんです」関谷が後を継いだ。「部屋の中を見て、さらに仰天しました」

「一体何があったんだ」俊介は美菜子に訊いた。「彼女と何を話したんだ」

美菜子は彼のほうを見ようとせず、首をさらに深く折った。そのまま答えた。「あなたのこと……よ」

「俺のこと？　俺の何について話したんだ」

だが彼女は即答しない。すると見かねたように藤間がいい添えた。「高階さんは美菜子さんに、並木さんと別れてほしいといったそうです」

俊介は目を見開いた。「まさか……」

「本当よ」美菜子がようやく口を開いた。しかし首は項垂《うなだ》れたままだ。「彼女、そういったのよ」

「そんな馬鹿な」俊介は首を振っていた。「彼女がそんなことをいうわけない……」

「だっていったんだもの、仕方ないじゃない」それに、と付け加えながら彼女はわずかに俊介のほうに顔を向けた。「あなたが彼女と付き合ってたのは事実なんでしょ」

俊介は答えず、唾を飲み込んだ。こめかみを汗が一滴流れた。彼はハンカチを出し、それをぬぐった。

「あたしはこういったの。彼とは絶対に別れないって。そうしたら彼女、それなら自分にも考えがあると……」

「考え？」

「子供を産むといったの」美菜子は俊介を見た。「あなたの子供を」

「そんな……」俊介は藤間夫妻や関谷のほうに視線を泳がせた。

「彼女の考えでは、子供を産みさえすればあなたを独占できるということだったわ。あなたには本当の子供がいないから、自分が産めば、きっと自分を選んでくれるという自信があったみたい」

「妊娠してるといったのか」

美菜子は小さく頷いた。それを見て俊介は大きく息を吐いた。

「すみませんが、我々二人だけにしていただけませんか」彼は藤間たちにいった。

「そんな必要ないわ」美菜子がいった。「皆さん、事情を御存じよ。さっき話したから」

「いや、でもやっぱり席を外したほうがいいかな」

立ち上がりかけた藤間に、「ここにいてください」と美菜子がいった。「そのほうが落ち着いていられるんです」

藤間は困惑した表情を浮かべた後、再び席についた。

関谷靖子がコーヒーを運んできた。各自の前にカップを置くと、自分は少し離れたカウンターのスツールに腰掛けた。

「たしかに」俊介はいった。「彼女と付き合っていたことは認める。だけどそれは何というか……」

「やめてよ」美菜子は遮《さえぎ》った。「今さらそんなことをいって何になるの。こんなに取り返しのつかないことになったのに」

俊介は一旦口をつぐみ、湯気の立ち上っているコーヒーカップに手を伸ばした。一口飲み、吐息をついた。

「妊娠したと聞いて、それで頭にきて殺したのか」

「そうじゃない」

「じゃあ……」

「今あっさりと別れたほうが身のためだ——彼女はそういったのよ」

「……どういう意味なのかな」

「もし別れなくても、子供が生まれれば、その父親はあなただと公言すると彼女はいったの。そうすればどの道、並木家は崩壊する。章太君だって受験どころじゃなくなる。それどころか章太君の将来にだって影響するかもしれない。それでもいいのかって……」美菜子は無表情な顔を夫に向けた。「彼女、そういったのよ。そういって、薄ら笑いを浮かべたの」

俊介の持っているコーヒーカップが、テーブルの上でかたかたと音をたてた。

「よく考えておいてくれといって、彼女は部屋を出ていこうとしたわ。その後ろ姿を見て、あたし、何とかしなくちゃと思った。この女を何とか黙らせなきゃと思った。それで咄嗟《とっさ》にスタンドを摑んで、後ろから殴りかかってた。あの人、声も出さずに倒れたわ。あたし、びっくりしちゃって……」そこまでいったところで美菜子はかすかに唇を緩めた。「おかしな話よね。自分でやったことなのに、びっくりしちゃったの。それで彼女の身体を揺すったんだけど、びくともしなかった。死んじゃったんだって、その時気づいた」

美菜子は俊介から目をそらし、自分の額に手を当てて呟いた。「彼女が章太の名前なんか出すから……」

そのまま彼女は石のように動かなくなった。関谷靖子が立ち上がり、彼女の後ろに回った。靖子は彼女の肩にそっと両手を置いた。その様子を俊介は呆然《ぼうぜん》と見つめていた。彼の息は荒くなっていた。その呼吸音だけが沈黙の中で繰り返された。

「男女の問題については、我々第三者は口出しできません。ただ並木さん、どう、されますか」藤間が訊いてきた。その声は静寂の中でやけに響いた。

「どうといいますと」

「だからこれからです。何らかの対処をしなくてはいけないと思うのですが」

「ああ……」俊介は前髪をかきあげ、そのまま頭を抱えた。「警察には連絡されたので

「それが、といいますと？」

「そうですか。じゃあ、まず、それが先決ですね」

「いえ、まだです。どうしようかと話し合っている時、あなたから電話がありまして」

しょうか」

藤間の問いに、俊介は相手の顔を見返した。

「警察への連絡です。決まってるでしょう」

すると藤間は目をそらし、関谷を見た。関谷は自分の顎を撫《な》でている。無精髭《ひげ》が伸びていた。

「並木さん、じつはそのことで話し合っていたんですよ」藤間がいった。「このまま警察を呼んでいいものかどうかということで」

俊介は瞬《まばた》きを何度かし、唇を舐《な》めた。

「すみません。意味がよくわからないんですが」

「並木さんにお尋ねしたいんですが、高階さんは本当に忘れ物を届けるためにここへ来たんですか。私はそうではないと踏んでるんです。高階さんは恋人を奥さんから奪うためにわざわざやってきた。忘れ物なんかはなかった。違いますか」

「だとしたらどうなんですか」

「そうだとすれば、彼女がここへ来たことは誰も知らないんじゃないですか」

「彼女は職場には休暇届を出してきたと……」

「やっぱり」藤間は関谷と顔を見合わせ、頷き合った。

「何ですか。そのことがどうしたんですか」

「あなた、それでいいんですか」関谷が横から発言してきた。「このままだと美菜子さんは殺人犯として逮捕されますよ。それだけじゃない。いろいろな経緯が明らかになれば、確実にあなたの社会的地位は失墜します。それでもいいんですか」

「よくはありませんが、こうなってしまった以上は仕方ないじゃありませんか」

「だから、そこです」藤間がいった。「何とかできないものか——我々はそれを話し合っていたんです」

「そんなことといったって、殺してしまったんだから、もう取り返しはつかないじゃないですか」

「それはそうなんですがね」藤間はテーブルに両肘をつき、その手を組んだ。「我々としては美菜子さんを警察に突き出すようなことはしたくないわけです。美菜子さんのしたことは法律的には罰せられることなんでしょうが、心情的には十分に理解できる行為でもあります。同情できるといいかえてもかまいません。何とか美菜子さんが逮捕されずに済む方法はないものかと誰からともなく話し始めたというわけです。もちろん、自分たちの周りから殺人犯を出したくないという本音もあります。今度のことが明るみに出れば、たぶん我々の私生活もマスコミに荒らされることになるでしょうからね。そうなれば、それこそ子供の受験どころじゃなくなる。社会的なダメージを受けるのは並木さんだけではないということです」

美菜子が嗚咽《おえつ》を漏らし始めた。

「ごめんなさい」顔を覆った両手の間から彼女の細い声が聞こえた。「あたしがあんなことをしたばっかりに、みんなに迷惑をかけて……」

「あたしたちのことなんかいいのよ」藤間一枝が優しい声を出した。「みんな、あなたのことが好きだから、何とかしてやりたいと思っているんだから。それが一番なんだから」

「そういうことです」藤間も付け足した。「ただ、単なる好意からだけでなく、自分たちの都合もあって、こういうことをいいだしたのだということをわかってもらいたかったんです」

「そういっていただけるのは大変ありがたいですが」俊介は声を絞り出した。「現実にはどうしようもないでしょう。僕だって、美菜子が逮捕されるのは避けたいですよ」

「藤間さん」関谷がいった。「さっきの計画を並木さんにも話してみたらどうかな」

「うん、そうだね……」

「何ですか、計画って」

俊介が訊くと、藤間は少し身を乗り出した。目が鋭くなっている。

「美菜子さんを殺人犯にしない方法は一つしかない。事件そのものをなかったことにするんです。具体的にいえば、あの死体を処分するんです。我々の手で」

藤間の言葉を聞き、俊介は背筋をぴんと伸ばした。彼と美菜子を除く全員が彼に注目している。その視線を受け止めながら、彼はかぶりを振った。

「そんなこと、絶対に無理だ」

「そうでしょうか」

「だって、無茶ですよ。どうやって処分するんです。どう処分しようが、死体の身元がわかれば我々が怪しまれます」

「だから死体が見つからないようにするんですよ。もし見つかったとしても、身元が割れないようにしておくのです」

「顔と指紋を何とかすれば、身元はばれないんじゃないかな」関谷がいった。

「それと歯形です」藤間が冷静そうな声でいう。

関谷靖子と藤間一枝は黙ったまま小さく頷いている。その様子を見て、俊介はテーブルを叩いた。

「あなた方は自分たちが何をしゃべってるのかわかってるんですか。そんなでたらめなこと、できるわけない」

両方の拳をテーブルに載せた姿勢で、俊介は深呼吸を二度三度とした。そんな彼をしばらく誰もが黙って見ていた。

「たしかに」藤間がいった。「我々がやろうとしていることはでたらめです。許されることじゃない。でもいいですか。これはすべてあなたの奥さんのためなんです。この方法がだめだというなら、何かいい手がありますか。あるならばおっしゃってください」

「警察に連絡するという方法以外で、ですよ」関谷が続けていう。「それは論外だ」

俊介は汗をぬぐったハンカチを握りしめた。美菜子は顔を覆ったまま、全く動かない。

「事故に見せかけるとか、自殺に見せかけるとか……」

「問題外です」藤間が即座に却下した。「そういう意見も出たんです。だけど現実的ではない。私だって警察について何か知っているわけではありませんが、彼等の科学捜査の目を素人がくらませられるとは思えない」

「科学捜査のことをいうなら、そっちのアイデアだって五十歩百歩じゃないですか。いくら指紋を消そうが顔を潰《つぶ》そうが、今はDNA鑑定で何でもわかってしまう時代なんです」

「DNAのことは考えました。でもね並木さん、DNA鑑定が行われるのは、死体の身元に大体の見当がついている時です。全く手がかりがない状態では、鑑定しようにも、誰のDNAと比較するか決められない」

「高階英里子にも家族はいる。彼等が警察に届けるのは時間の問題です。身元不明死体が見つかったなら、警察はそうした失踪人《しっそうにん》とデータを比較するはずです。性別や背格好、推定年齢なんかから、いずれ警察は死体は高階英里子じゃないかと考えるでしょう」

「仮にそうだとしても、生きていた頃の彼女のＤＮＡがなければ比較はできない」

「そんなもの、何とでもなります。彼女の部屋を探れば、髪の毛の一本や二本は落ちてるでしょう」

「その時にまだ彼女の部屋があれば、ね」

「どういう意味です」

「高階英里子さんは御家族と一緒に住んでたんですか」

「いえ、独り暮らしでした」

藤間は頷き、「分譲マンションか何かですか」と訊いた。

「まさか。賃貸です」

「でしょうね。そうすると、いずれは引き払わねばならないわけだ」

俊介は口を小さく開き、藤間の顔を見返した。藤間はゆっくりと首を縦に二度振った。

「部屋を引き払えばＤＮＡを調べる材料も消える、というわけですか」

「だからこそ、死体の発見は遅ければ遅いほどいいのです。失踪の届けが出された後、何年間も見つからないというのが望ましい。もちろん永久に見つからないのがベストです」

「なるほど……」俊介は一度だけ頷き、自分の首筋を揉んだ。それから上着を脱ぎ、そのポケットから煙草とライターを出した。「吸ってもいいですか」

「防災上、夜の喫煙はルール違反なんですけどね」関谷がいい、後ろの棚に置かれていた灰皿をテーブルに置いた。

俊介が煙草に火をつけると、私もお相伴《しょうばん》しようといって藤間も煙草を取ってきた。

「死体を処分するといっても、どこに捨てるんですか。穴でも掘って、埋める気ですか」

「それは最初に考えましたよ。だけど埋めるというのはやはり危険です。何がきっかけで見つかるかわかりませんから。それに完璧《かんぺき》に隠せるほど深い穴となると、そう簡単には掘れないでしょう」

「じゃあ一体……」

「これは僕のアイデアなんですが」関谷がそう前置きしてからいった。「土の中はだめとなれば、水の中はどうですか」

「水の中？」問い直してから俊介は目を大きく見開いた。「姫神湖に？」

「それが一番いいと思うんだけどなあ。確実だし、何より手っ取り早い」

「私もそれがいいんじゃないかと思いました」藤間がいった。

俊介は低く唸りながらせわしなく煙草を吸い続けた。煙草はたちまち短くなった。

「これから湖に捨てに行くというんですか」

「そうです。実行するとなれば、一刻の猶予も許されない」藤間が断言した。

「今から湖に……」俊介は煙草の箱を開けた。最後の一本を抜き取り、火をつけた。

「こんな言い方は不謹慎だと思いますがね」関谷がいった。「僕にいわせれば、並木さんはついてると思いますよ」

俊介は関谷を見た。口から煙が漏れた。

「だってもし一人でこんな状況に立たされたらどうでしたか。一人で死体を処分することなんて不可能に近いし、仮にやったとしても恐ろしく時間がかかったでしょう。でも今はこんなに協力者がいる。幸運といってもいいんじゃないかな」

「幸運？　これが？」

「まあまあ。関谷さんのいいたいこともわかるけど、並木さんが一番辛《つら》い立場なんだから」藤間がとりなすようにいった。「愛人だって失ったわけだし」

彼の言葉に関谷は、はっとしたような顔をした。それからばつが悪そうに、「すみません」と呟いた。

俊介はまだあまり短くなっていない吸い殻を灰皿の中で捻り潰した。

「並木さん」藤間が立ち上がった。「どうされますか。我々の気持ちは固まっているんですが」

再び美菜子を除く全員の視線が俊介に集中した。彼はすべての視線から目をそらした。

しばらく沈黙が続いた。かすかに虫の鳴き声がする。

俊介は美菜子を見た。どうして、と彼は口に出した。

「どうしてそんな早まったことをしたんだ。君らしくもない」

「今さらそんなことといったって」こういったのは関谷靖子だった。

「並木さん」藤間が再び問うてきた。

俊介はハンカチで汗をぬぐい、唇を噛んだ。俯いたままでいった。「死体は浮くんじゃないかな」

「重りと一緒にビニールシートに包みます」関谷が即答した。

俊介は小さく頷いた。皆の視線が彼から外れることはなかった。

「指紋をつけないよう気をつけないと」彼は小声でいった。

第二章

1

「女性陣はここで待っていてください。大勢でぞろぞろ移動すると人目につくでしょうから」藤間が自分の妻たちにいった。「それに君子さんに気づかれないよう注意していてほしいし」

「彼女には内緒にしておくんですか」俊介は訊いた。

「秘密を共有する人間は少ないほうがいいでしょう。第一、君子さんが我々の考えに賛同してくれるとはかぎらないし」

藤間の言葉に俊介は少し間を置いてから頷いた。

「では、まず死体を外に運び出そう」関谷が腰を上げた。

「僕が運びます」俊介は関谷の前に立った。

「二人で運んだほうが楽でしょう」

「いえ、一人で十分です。皆さんは車の用意をお願いします」

「でも」

「関谷さん」藤間が関谷の背中に声をかけた。「死んだ彼女のことを一番よく知っている並木さんが、一人で運べるとおっしゃってるんだから」

「ああ」関谷は口を半開きにした。「じゃあ、外で待ってます」

俊介はリビングを出て、階段を上がった。自分たちの部屋の前に立つと、深呼吸をひとつした。ノブを握り、ゆっくりと開く。

高階英里子の死体は虚空を睨んだままだった。俊介はドアのところでしばらく立ち尽くした。それから部屋に入り、ゆっくりとしゃがみこんだ。膝ががくがくと震えている。右手を伸ばし、彼女の頰に触れた。皮膚に弾力はなくなっていた。温かみも消え去っている。俊介は英里子の顔を見つめた後、彼女の唇に自らのそれを近づけていった。しかし触れる直前、彼は動きを止めた。吐息をひとつ。さらに目を閉じ、首を左右に振った。

彼女の身体の下に腕を入れ、腰を落として持ち上げた。血で床にこびりついた髪が、ばりばりと音をたてて剝《は》がれた。

階段を下りていくと関谷靖子が廊下にいた。彼女は俊介の抱きかかえているものを見ると、小さな悲鳴を上げて後ずさりしたが、すぐに彼に向かって、「大丈夫ですか」と訊いてきた。

「大丈夫です。申し訳ありませんが、美菜子に、部屋を掃除しておくようにいってください。カーペットが汚れてしまったし、電気スタンドの破片が散らばっているので」

「ええ、そういうことはあたしたちが。はい」靖子は自分の胸に手を当てて頷いた。

玄関のドアが開き、外から関谷が入ってきた。手に青いビニールシートを抱えている。

「これに包んで運びましょう」そういってホールの床に置いた。

「これはどこから？」

「うちから持ってきたものです。屋外でバーベキューをする時に、下に敷いたらいいかなと思いまして。どこにでもあるものだから、出所を調べられても平気だと思います。もちろん見つかっちゃいけないわけですが」

関谷がホールの床にビニールシートを敷くのを待って、俊介はその上に死体を寝かせた。高階英里子は目を見開いたままだった。

「ああ、並木さん。これを」関谷が差し出したのは軍手だった。彼はすでにそれをはめている。「指紋がつかないように気をつけようといったのはあなたですよ」

「そうでした」俊介はそれを両手にはめた。

死体をビニールシートで包むと、俊介と関谷は協力して外に運び出した。懐中電灯を持った藤間が、駐車場から下りてきた。彼も軍手をはめていた。

「二人で運べますか」

「ええ大丈夫。それより、何か重りになるようなものは見つかりましたか」関谷が訊く。

「大きい石をいくつか拾っておきました。あれだけあれば大丈夫だと思うんだけどなあ」

駐車場に上がってみると、藤間のいっていたとおり、ドッジボール程の大きさの石が十数個、隅に積まれていた。

「この短時間に、よくこれだけ集められましたね」俊介はいった。

「いや、ですから、苦労しましたよ。あちこち走り回ってね。それより、早く車に積みましょう。人に見られるとまずい。ええと、どの車を使うかな」

「うちのを使うのが一番いいでしょう」関谷がいった。「ふつうの乗用車だと、たぶん積みにくいですよ」

「いいんですか」

俊介が訊くと関谷は浮かない顔つきのまま頷いた。

「この際ですから仕方ないでしょう。後でお祓《はら》いか何かしておきますよ」

「すみません」ビニールシートに包まれた死体を担いだまま、俊介は頭を下げた。

藤間が関谷のポケットから車のキーを取り出し、赤いワンボックスワゴンの後部ハッチを開けた。車のラゲッジスペースは広く、しかも片づいていた。俊介と関谷は、そこに死体を運び入れた。さらに藤間が石を積み込んでいく。俊介と関谷も途中から手伝った。

「大事なものを忘れるところだった」最後に藤間がロープを積んだ。ビニール製の、かなり太いものだ。

「これは？」俊介が尋ねた。

「ずっと以前に東京で買ったものです。死体をビニールシートで包んだだけだと、外れるおそれがありますから、最後にこれで縛《しば》ったらいいと思うんです」

「なるほど、いい考えだと思います」

後部ハッチを閉めた後、三人は車に乗り込んだ。運転するのはもちろん関谷で、俊介は助手席に座った。関谷がエンジンをかけ、ヘッドライトをつけると、前の道が明るくなった。

「では行きましょう」藤間の声を合図に、関谷は車を動かした。

姫神湖までは車で数分だった。湖畔にはレストラン、喫茶店、土産物屋といった店舗の並んだ通りがある。さすがに深夜だけあって、それらの店はすべて閉まっており、明かりも消えていた。

その通りを通過すると、正面に湖が現れた。

「そこを左に」藤間が後ろから指示する。関谷はハンドルを左にきった。

湖の外周に沿って細い道が作られている。車はその道をゆっくりと進んだ。やがて突き当たりになり、関谷は車を止めた。ヘッドライトを消すと真っ暗だ。街灯の光が遠くに見える。

藤間が先に車を降りた。彼は懐中電灯を持っていた。湖のほうに歩いていってから二、三分して戻ってきた。

「昼間に見たとおりです。貸しボートが放置してあります」

「使えそうですか」関谷が訊いた。

「使えると思います」

藤間が懐中電灯で照らす中、俊介は関谷と二人で死体を車から下ろした。

「さて……と」藤間が、いいにくそうに口を開いた。「このままではまずいわけですよね。身元がわからないようにしておかないと」

一瞬の沈黙の後、関谷がいった。

「指紋と顔、それから歯、でしたか」

「潰すんですか」俊介は訊いてみた。

また少しの間、全員が黙り込んだ。

「だって、身元がわからないようにしないと」藤間がさっきと同じことをいう。

「顔は、そこまでしなくてもいいんじゃないのかな」関谷が呟いた。「水を含んだ死体ってのは、顔の判別なんかできないと聞いたことがある」

「だけど、歯形はどうにもなりませんよ。それは何とかしないと。それから指紋と」

「わかりました。僕がやります」俊介は頷きながらいった。「やるしかないでしょう」

他の二人は顔を見合わせた。その後、藤間が右手で鬢《びん》のあたりを掻いた。

「それはまあ、並木さんに処置していただくのが一番いいわけだけど」

「とりあえず死体をボートまで運びましょう。シートの中に石を詰めてからやります」

「ああ、それがいいな」関谷も俊介に同意した。

ボートは殆どが逆さまに伏せられていたが、一艘《そう》だけ湖から引き上げられたままになっていた。死体をその横に置き、青いビニールシートの内側に石を詰めていった。

「ええと、では並木さん、例の処置をお願いできますか」藤間が遠慮がちにいった。

俊介は深呼吸をひとつした。

「懐中電灯を貸していただけますか。それから、お二人は少し離れていてください」

藤間は頷き、懐中電灯を差し出した。それから関谷と共に数メートル離れてから向こうをむいた。

俊介はまず、英里子の右手を引っ張り出した。それは冷たく、マネキンのように弾力がなかった。彼はポケットからライターを取り出した。火をつけ、彼女の指先に近づけていった。

ちりちりと皮膚が焼けていった。異臭が漂い始める。俊介は何度も唾を飲み込んだ。

左右の指先を焼き終えた後、彼は英里子の死に顔を見つめた。彫りが深かったはずの彼女の顔は、やや平坦なものに変わっていた。彼は懐中電灯で照らしながら、指先で彼女の唇に触れてみた。そこも弾力はなくなっていた。

俊介は石の一つを取り上げた。それを肩の高さまで振り上げたところで手を止めた。いったん石を下ろし、ビニールシートで英里子の身体を包んだ。シートの上から彼女の顔の位置を確認し、改めて石を手にした。

彼は軽く目を閉じた後、息を止め、石を振り下ろした。それは英里子の顔があるはずの場所に命中したが、その勢いはごく弱いものだった。それでもその音を聞いたのか、関谷が訊いてきた。「やりましたか」

「いえ、力が弱かったみたいです」

「ああ……」関谷は向こうをむいたままだった。藤間は何もいわない。

俊介は石を両手で持った。何度か呼吸を繰り返した後、石を自分の頭の上まで持ち上げた。再び息を止め、目を閉じる。石を振り下ろした。

鈍い音がした。明らかに先程とは違う音だった。俊介はおそるおそる目を開いた。石が青いビニールシートにめりこんでいた。英里子の顔があったあたりだ。

彼は両手で石を持ち上げ、さらに一撃を加えた。石のめりこみは、先程よりも深くなった。彼は最後にもう一度、石を振り下ろした。しかし今度はさほどの変化はなかった。

「やりました」呻くように俊介はいった。

藤間と関谷が近寄ってきた。

「歯形は大丈夫ですね」藤間が確認してきた。

「大丈夫だと思いますが、よくわかりません。見て確かめてはいないですから」

「大丈夫でしょう。並木さんは三回ぐらい……その、やっておられたようだから」

関谷がそういったが、藤間は死体の傍《かたわ》らにしゃがみ込むと、ビニールシートを少し開いた。その直後に、うっと呻き声を漏らした。

俊介は目をそらした。関谷も顔をしかめて横を向いた。「よくそんなことが……やっぱりお医者さんだ」

「私だってやりたくありませんよ。だけど、万一のことがあるから」藤間はビニールシートを閉じた。「これなら大丈夫……だと思います」

ビニールシートの上からロープを何周も巻きつけた。その後三人で、それをボートに載せた。石の分だけ重くなっていた。

「三人で乗る必要はないな」藤間がいった。「関谷さんは車にいてください。携帯電話は持っていますね」

「ええ」

「じゃあ、何かあったら連絡してください。場合によっては、別の場所にボートを乗り捨てなきゃいけません」

「わかりました」

「では、行きましょうか」藤間が俊介にいった。俊介は無言で頷いた。

三人でボートを押し、船底が浮いたところで俊介と藤間は乗り込んだ。その時の位置関係で、俊介が漕《こ》ぐことになった。最初は少し手間取ったが、すぐにオールの動かし方に慣れた。

「どのあたりまで行けばいいんでしょう」漕ぎながら俊介は訊いた。

「なるだけ深いところがいいですから、やっぱり湖の中央部付近でしょうね」

「でもこの暗さじゃ、どのあたりが湖の真ん中なのかわからない」

「ですから、勘に頼るしかないでしょう。我々二人の勘に」

俊介は何とも答えなかった。それでしばらく沈黙が続いた。オールが水を切る音だけが繰り返されている。

しばらく俊介は漕ぎ続けた。周囲はほぼ完全な闇だ。遠くに星のように小さな明かりがいくつか見える。

「疲れましたか」

「いえ、平気です。それよりも……」

「なんですか」

「こんなことをして大丈夫でしょうか。美菜子の過ちを皆さんで隠そうとしてくださることは大変ありがたいんですけど」

「並木さん、今さらそんなことをいってどうするんですか。もう後戻りはきかないんだ。だったら、現在自分たちがすべきことを完璧にやり遂げるしかないじゃないですか」

「それはわかってるんですけど、果たして警察にばれないかと」

「だからこうして、死体が絶対に見つからないよう苦労しているんでしょ？　万一見つかった場合でも、決して身元がわからないようにしました。あなただって、恋人の顔を潰すのは辛かったはずだ」

俊介は俯いた。

「並木さん」藤間の口調が変わった。「ここはひとつ正直に答えていただきたいんですがね、あなたは美菜子さんのことはどうするつもりだったのですか。離婚して、この女性と一緒になるおつもりだったのですか」

「まだそこまでは……」

「考えてなかった、というわけですか。そうかなあ。少なくともこの女性には結婚を仄《ほの》めかすようなことをしゃべってたんじゃないですか。そうでないと、この女性だって無茶なことはしなかったと思いますから。でも誤解しないでください。あなたを責めるつもりなんか全然ありません。この世の男というのは、誰でも似たようなことをしているものですからね。ただわからないのは、あなたにとって今の家庭はどういうものなのかということです。章太君が美菜子さんの連れ子だったことは私も知っています。低俗な想像かもしれませんが、やはり実の子のようには思えないんじゃないですか」

「努力はしてきたつもりです」

「知っています。でもね、我々には努力なんか必要ないんです」

「どういう意味ですか」

「努力なんかしなくても子供を愛せるんです。そこに理屈はない。あなたとは違う」

「それをいわれてしまうと……」

「だからこそ伺いたいんです。あなたにとって今の家庭とは何なのかをね。いつでも捨てられるものですか。魅力的な女性となら交換できるものですか」

「責めるつもりはないとおっしゃっていながら、やっぱり……」

「責めてなんかいません。不思議なんです。もしあなたにとって今の家庭がそれほど大切でないのなら、なぜ今回ここに来られたのですか」

俊介は漕ぎながら藤間を見た。よく見えなかったが、藤間も彼を見返しているようだった。

「さっきもいったでしょ」俊介は静かにいった。「これも努力の一環なんです」

少し間があって、「なるほど」と藤間の声がした。

「そろそろいいんじゃないですか」しばらくして俊介はいった。

「そうですね。私もこのあたりでいいかなと思っていたところです」

俊介はオールを動かす手を止めた。代わりに、ビニールシートを固定しているロープに手をかけた。

「気をつけて。下手に立ち上がるとボートがひっくり返る」

「わかっています」

俊介と藤間は、座ったまま遺体を転がすようにしてボートの隅に寄せた。重みに偏《かたよ》りが生じたせいでボートが大きく傾いた。二人はバランスをとるために自分たちの場所を調節しながら、ビニールシートの固まりを押した。揺れが激しくなり、水がぴちゃぴちゃと跳ねた。しかし結局その揺れが手助けしてくれた。ボートが何度目かの傾きを見せた時、遺体を包んだビニールシートは、ごろりと回転して落ちていった。

俊介は大きくため息をついた。横を見ると藤間は合掌していた。俊介は水面に目を戻し、しばらく波紋を眺めていた。

死体が浮いてこないことを確認し、俊介は再びボートを漕ぎ始めた。途中、藤間が関谷に連絡を入れた。関谷が車のヘッドライトをつけたので、進んでいく目標ができた。

「誰かに見られませんでしたか」ボートを元に戻し、車に乗り込んでから藤間が関谷に尋ねた。関谷は車を発進させながら首を振った。

「誰も来ませんでした。それに、お二人のボートは岸からは全く見えませんでしたよ」

「あの暗さだからなあ」

「本当に皆さんには何と申し上げていいのか……」俊介は助手席で頭を下げた。

「並木さん、お願いですからもう謝らないでください。そんなことより、まだ我々には仕事が残っているんです」藤間が後ろからいった。

「仕事？　何ですか」

「それは」藤間は腕組みをし、シートにもたれた。「別荘に戻ればわかります」

2

別荘に戻ると殆どの部屋の明かりは消えていた。藤間は先に電話して、女性陣が藤間夫妻の部屋に集まっていることを確認していた。それで俊介たちも三階にある彼等夫妻の部屋に行くことにした。

八畳の和室で美菜子、関谷靖子、藤間一枝が四角い卓を囲んで座っていた。俊介たちを見て、まず靖子が口を開いた。「どうだった？」

「うん、うまくいった」彼女の夫が答えた。

「遺体は完全に沈んだのね」一枝が自分の亭主に訊く。

「そのはずだ。あれだけのことをしておいたんだから、まず浮いてこないと思う」

三人の男たちも腰を下ろした。美菜子は黙って俯いている。その彼女の横顔に俊介はいった。

「結構大変だったよ。皆さんにお礼をいわないと」

彼の言葉に彼女は顔を上げたが、藤間が大きく手を振った。

「そんなことはもういいです。並木さんも、それ以上美菜子さんを責めないでください。彼女にだけ責任があるわけではないのですから」

俊介は俯き、黙り込んだ。

「君子さんには気づかれてないだろうな」関谷が妻に訊いた。

「大丈夫。さっき様子を見に行ったけど、よく眠ってるわ。薬が効いてるんだと思う」

「それならよかった」

「さっきもいいましたが、秘密を共有する人間は少ないほうがいいですからね。ところで例のことですが、何かわかりましたか」藤間が女性たちを見回した。

「これが彼女のバッグから出てきました」関谷靖子が小さな紙の包みをテーブルの上に置いた。広げると中には鍵があった。金色の小さなプレートがついている。０３０５という数字が見えた。

「指紋はつけていません」

「レイクサイド・ホテルの鍵だ」関谷がいった。

「やっぱり彼女はこっちに宿を取ってたんだなあ」藤間がいう。

「どうしてかな。東京からだと日帰りできる距離なのに」

首を傾げる関谷の腋《わき》を、彼の妻がつついた。

「彼女が本当に並木さんの忘れ物を届けに来たと思ってるわけ？　そんなはずないでしょ」

「えっ、ああ、そうか」関谷は俊介をちらりと見た。

「彼女は最初からこちらに泊まる予定だった。ということは、明日も会社は休むことになっている、と考えて間違いないでしょうね」藤間が俊介に訊いた。

「本人はそういってました」俊介は答えた。

「並木さんの後を追って姫神湖に行く、というようなことを第三者に話してなければいいのですがね」

「それはないでしょう。我々のことは誰にも秘密にしていましたから」

それはそうだろうな、と関谷が呟いた。

「ともかく」藤間がいった。「宿が判明してよかった。わからないままだったら、いずれ宿泊先が騒ぎだしていたでしょう。この地で行方不明になったとなれば、警察もある程度は本格的な捜索をする。だから何としてでも、彼女には東京に帰ってもらわなければならないのです。東京に帰ってから行方不明になったのなら、警察は大して積極的には動かないはずです」

「帰ってもらうといっても、彼女はもう死んでいるのに……」俊介はぼそりといった。

「そう見せかけるという意味です。レイクサイド・ホテルに泊まっているということなら」藤間は鍵を取ろうとして、その手を引っ込めた。「チェックアウトしなければならない。しかもホテルの従業員に怪しまれないように」

「誰かが身代わりをするわけですね」関谷が訊く。「彼女に変装して」

「それほど大層なことをする必要はないでしょう。大事なことは目立たないことです。従業員にとって客のチェックアウトの手続きなど、日常の一つに過ぎない。その日常の記憶に紛れ込むことが大切です。不自然な変装をして印象に残るぐらいなら、何もしないほうがましだ」

もっともだと思ったらしく、関谷は頷いた。

「あの……」美菜子がゆっくりと顔を上げ、藤間を見た。「その役、あたしがやります」

全員が一瞬彼女を凝視した。

藤間は唇を舐めてから訊いた。「できますか」

「はい。あたしにやらせてください」

「いや、それは危険だ」俊介はいった。「君は今、落ち着いて行動できる精神状態じゃないだろう。それなのに人前に出ていくなんて——」藤間に視線を移す。「藤間さんも危険だと思うでしょう?」

「大丈夫よ。あたし、うまくやるから」

「君が何とか役に立ちたいと思っているのはわかる。だけど冒険のできる状況じゃない。君はここでおとなしくしているんだ」

「いや、並木さん。じつをいうと身代わりは美菜子さんにやってもらえないかと私は考えていたんです」

俊介は瞬きを数度繰り返した。「本気ですか」

「もちろん本気です。というのは、この役ができそうなのは美菜子さんしかいないからです。先程私は従業員の印象に残らなければ変装など必要ないといいましたが、やはり年格好は近いほうがいいと思うのです。この中で死んだ彼女に一番印象が近いのは美菜子さんではないでしょうか」

俊介は小太りの関谷靖子と藤間一枝の顔を見比べていた。二人は一度顔を見合わせ、次には揃って下を向いた。

「美菜子は昔から若く見えるもんね。スタイルだっていいし」靖子が呟いた。

「死んだ彼女にしろ美菜子さんにしろ、並木さんが選んだ女性なんだから、印象が似て当然でしょうね」関谷が誰にともなくいう。

「というわけで、この仕事は是非とも美菜子さんにやってもらわなければならないのです」藤間が俊介と美菜子とを交互に見た。

「やれるか？」俊介は彼女に訊いた。

「やるわ」彼女は夫に向かっていい、続いて藤間を見た。「朝、ホテルをチェックアウトすればいいんですね」

「彼女の荷物を運び出す必要もあります。しかも部屋や荷物に決して指紋をつけてはいけません。部屋を出た後は手袋をつけずにそれらの点に注意するんです。今の季節に手袋はおかしいですからね。できますか？」

少し間を置いた後、「やります」と美菜子は答えた。「何時頃がいいでしょう」

「あの手のホテルのチェックアウトタイムは午前十一時というところでしょう。たぶん十時から十一時がフロントの最も混雑する時間帯だと思います」

「人が多いと目撃される危険性も上がりますよ」関谷がいった。

「通り過ぎるだけのエキストラが何人いても構わない。怖いのは従業員の記憶に残ることです。警察がレイクサイド・ホテルに聞き込みに行くおそれは十分にありますから」

「じゃあ、あたしは明日の朝十時頃にホテルに行けばいいんですね」

「それはそうなんですが」藤間が考える顔つきを見せた。

「まだ何か問題があるの？」一枝がうんざりしたように訊いた。

「念のために高階英里子さんの部屋を見ておきたいと思ってね。美菜子さんが荷造りに手間取って、チェックアウトに遅れるようだとまずい」藤間は自分の時計を見た。「あと一時間もすれば夜が明けてしまう。それまでに一度部屋を見ておいたほうがいいでしょう。美菜子さん、私と一緒に行ってくれますか」

「今からですか」

「そうです。で、そのまま部屋にいてほしいんです。十時になったら荷物を持って、客のような顔をしてチェックアウトする」

「その後はここに戻ってくればいいんですか」

「いや……」藤間の視線が俊介に移った。「そこからは並木さんに動いてもらわなければなりません」

「何をすれば？」

「まず車でホテルまで行ってください。なるべく目立たないように。そこで美菜子さんから荷物を受け取る。美菜子さんは歩いてここまで戻ってきてください」

「藤間さん、まさか……」俊介は大きく息を吸ってから訊いた。「英里子の荷物を東京まで運べと？」

藤間は唇を閉じ、一度目を伏せてから改めて俊介を見た。

「高階英里子さんがここへ来たことは隠せない、と考えたほうがいいです。もちろん我々から警察に教えてやる必要はないし、ばれないのがベストですが、覚悟はしておくべきでしょう。でも彼女は東京に帰った。行方不明になったのはその後だと見せかけるためには、荷物が彼女の部屋にあったほうがいい」

俊介は前髪をかきあげ、そのまま頭を掻いた。「おっしゃってることはわかりますが」

「大変なのはわかりますが、偽装は完璧にしなければなりません。大丈夫です。私も一緒に行きますから」

「あなたも？」

「何かを一人でやろうとすれば、必ずどこかにミスが生じるものです。それに死んだ恋人の部屋に行けば、あなたも平静ではいられないでしょう。本当は私一人でやったほうがいいくらいなのですが、彼女の部屋の場所を知りませんのでね。並木さん、やっていただけますね」

全員の目が俊介に注がれていた。彼は小さく頷いた。

「方針が決まりました。じゃあ美菜子さん、早速ホテルに行きましょうか」藤間が立ち上がった。

「待ってください。ホテルには僕が行きます」俊介はいった。

「いや、今もいいましたようにあなたは——」

「落ち着いているつもりです。それに英里子の荷物を確認するだけのことでしょう? 迂闊《うかつ》に指紋をつけたりはしません」

「でも」

「藤間さん」美菜子が声を出した。「あたしと主人とで行ってきます。あたしも気をつけますから」

藤間は迷いの色を見せた。意見を求めるようにほかの者を見回したが、口を開く者はいなかった。

「彼女の荷物のことは」美菜子がもう一度いった。「あたしが責任を持ちます」

藤間は頷き、ふっと息を吐いた。

「わかりました。お二人に任せましょう」


俊介の車でホテルに向かうことにした。助手席に座った美菜子は無言だった。俊介も黙っていた。土を踏むタイヤの音がよく聞こえた。

駐車場に車を止め、ホテルに入った。照明が半分以下に落とされた広いロビーに人影はなかった。フロントも無人だ。二人は黙ってエレベータホールに向かった。

0305号室はシングルルームだった。ベッドカバーはついたままだ。テレビの横に黒の小さな旅行鞄《かばん》が置いてあった。それに俊介が手を伸ばそうとした時、美菜子の声が飛んだ。「触っちゃだめ」

「中をちょっと見るだけだ」

「変にいじらないで。藤間さんにも注意されたでしょ」

「どうせ荷物をまとめる時に触らなきゃいけないじゃないか」

「あなたが恋人の形見を見たいのはわかる。でも今はあたしのいうとおりにして」

お願い、と彼女は付け足した。

俊介はそれでもしばらく鞄を見ていたが、結局その前から離れた。

美菜子は引き出しのついた収納棚やクローゼットの中を点検した。彼女の手には手袋がはめられている。

俊介はバスルームを覗いた。洗面台の上にヘアスプレーと香水の瓶、持参してきたらしいブラシなどが載っていた。シャワーを使った形跡はない。

「荷物は大してないみたいね」美菜子がようやく声を発した。

「チェックインして、すぐに俺たちのところに来たんだろう」

「香水をつけてね」洗面所の中を見ながら彼女はいった。

俊介は答えず、窓のそばのテーブルに近づいた。灰皿に吸い殻が二本残っている。そばの屑籠《くずかご》の中には丸めたティッシュが一つ。

「美菜子、大丈夫か」

「何が？」

「一人でいられるか。この部屋で」

「大丈夫じゃないといったら、あなたが一緒に寝てくれるの？」

俊介はポケットに両手を突っ込み、肩をすくめた。

「そんなことをしたら藤間さんに叱られるだろうな。計画が台無しだって」

「そうね」美菜子はベッドカバーを外し、そこに腰を下ろした。「どうして彼女、シングルにしたのかな。きっとダブルの部屋は空いてなかったのね」

ここでも俊介は答えなかった。椅子に腰掛けた。

「やっぱり俺に責任があるんだろうな」

「いいのよ、無理しなくて。本当はそんなふうに思ってないでしょ」

「そんなことはない。原因は俺にある」俊介はため息をつき、首を左右に振った。「こんなことになっちまうとはな……」

「ごめんなさい」美菜子がいった。「あなたの愛してる人を殺しちゃって。本当はあたしのことを恨んでるでしょ」

俊介は彼女を見た。妻も夫を見つめていた。その口元に笑みらしきものが浮かんでいる。夫は目を見張り、次にはその目をそらした。

「わからんな。恨んでないといえば嘘になる……かな」彼は両手で頭を抱えた。「ああ、でも正直なところ、今はそれどころじゃない。自分たちのやってることが信じられなくて、気が変になりそうだ」

「あなたが戻ってさえこなければよかったんだけど」

「そんなこといったって……」

俊介はナイトテーブルの時計を見た。午前五時が近い。

「あの人、どういう人だ」彼は訊いた。

「あの人って？」

「藤間さんだよ。どうしてあんなに次々と指示が出せるんだ」

「あの人はいつだってそうよ。何が起きてもうろたえたりしないの。医者としても優秀だって聞いたことがある。それに以前聞いた話だけど、推理小説のファンなんだって」

「推理小説ね」俊介は椅子から立った。「どうしてあんなに一生懸命になってくれるんだろうな。あの人だけじゃない。ほかの人もだ。美菜子のことを必死で救おうとしてくれている。いくら親しいといっても、事は殺人事件だ。俺ならあんなふうにはできない」

「自分たちのためでもあるとおっしゃってたじゃない」

「それにしてもさ」俊介は妻をじっと見下ろした。「君たちはまるで何か特別な絆《きずな》で結ばれているみたいだな」

美菜子は首を傾げ、座り直した。「どういう意味？」

「いったとおりの意味だ。秘密の絆がありそうだ」

するると彼女は虚空を見つめた。表情らしきものがなくなっている。

「そうね。そうかもしれない。あなたにはわからない何かで結ばれているのかも」

俊介は立ったまま彼女の横顔を眺めていたが、やがて頷いた。

「明日の朝、といっても数時間後だけど、迎えに来る。チェックアウトを済ませたらケイタイに電話をくれ。間違ってもホテルの電話を使うなよ」

「わかってる。これを使うから」美菜子は、高階英里子のバッグに入っていた携帯電話を持ち上げた。

ホテルを出て間もなく俊介は車を道路の端に寄せて止めた。車を降り、姫神湖に向かって歩きだした。周りは少し白み始めていたが、湖畔の店が開く気配はない。

湖が見物できるよう、テラスのように板を張った一画がある。そこに立ち、遠くに目をやった。対岸まではまだ見えない。だが風で水面が揺れているのはわかる。

彼は胸の前で両手を合わせた。目を閉じ、すまない、と小さく呟いた。

立ち去る前に、彼はボート置き場に目を向けた。いくつかの貸しボートは、すべてひっくり返してあった。彼はその周辺も見てみた。ほかにボートはなかった。

眉をひそめ、首を傾げてから歩きだした。

3

「ボートが？」藤間が頰をぴくりと動かした。

俊介は藤間夫妻の部屋に戻っていた。関谷夫妻の姿はない。

「ええ。死体を運ぶ時、一艘だけ湖から引き上げられた状態のボートがあったでしょう。ほかのボートは全部逆さまに伏せられていました。ところが今見てくると、我々が使ったボートも伏せられていたんです」

「ふうん……」藤間は右の掌を丸め、そこに息を吹き込むようなしぐさをした。

「貸しボート屋は、まだ来ていなかったようです。では誰があんなことをしたのかと気になって……」

「たしかに不思議な話ではありますが」藤間は指先で額の真ん中を押さえた。「ボート屋がしたことだと考えるよりほかないんじゃないですか。それ以外にどういう可能性がありますか？」

「それが僕にもわからなくて、で、藤間さんに話そうと思ったんです。ボート屋ならそれでいいんです。ただ……」俊介は口ごもった。

「何か？」

「いつあのボートが伏せられたのかなと気になっているんです。どこの誰かはわかりませんが、我々が死体を捨てた直後に、あの貸しボート屋に近づいた者がいるのはたしかなんです。その人物は、たまたま我々の行動を目撃したかもしれない。それであのボートを調べようとしたのかもしれない」

「なるほど。その点を心配しておられるわけだ」藤間は座椅子にもたれ、背中を伸ばした。「しかし並木さん、その心配はない、と私は思いますよ」

「どうしてですか」

「仮に誰かが我々のことを見ていたとしても、死体を湖に捨てたとは思わないでしょう。死体はビニールシートで包んであったし、捨てたのは湖の真ん中なのだから、岸から見えるわけがない。死体が発見されれば、関連づけて思い出すかもしれないが、あれだけのことをしたんだから死体が見つかる心配はないと思います」

それにもう一つ、と藤間は人差し指を立てた。

「その目撃者は何のためにボートを伏せておいたのですか。調べるだけなら懐中電灯で照らせばいい。死体遺棄に気づいたのなら警察に電話すればいい。だけど警察が駆けつけている気配はない。つまりその人物は」藤間は俊介のほうに顔を近づけた。「何も目撃などしていない。ただボートを伏せるという用があっただけです。そうしてそんな用があるのは貸しボート屋だけなんです。私の考えに何か矛盾でも？」

「あ……いえ」俊介は一度だけ首を横に振った。

「まあ、並木さんがナーバスになられるのはわかります。私だって、慎重すぎて悪いことはないと思っています。でもね、過ぎたことに対してあれこれ心配しても無意味です。今あなたが考えねばならないことは、いかにして高階英里子さんの荷物を東京の部屋に運ぶかということです。誰にも見られずに、しかも素早く」

俊介はしばらく黙っていたが、やがて首を縦に振った。

「わかりました。おっしゃるとおり、今さら目撃された可能性について考えても仕方がない。明日に備えて、少し休んでおきます」

「それがいいです。私も眠ります。睡眠薬がありますが、よろしければ」

「いや、結構」俊介は片膝をつき、立ち上がりかけた。

するとと今まで横で話を聞いていただけの一枝が俊介に尋ねてきた。

「あの、どちらの部屋でお休みになられますか」

「それはもちろん」そういったところで俊介は言葉を切った。唇を嚙む。

「あの部屋では眠れないんじゃないですか。一応さっきお掃除しましたけど、あの……」

「リビングルームにいます。申し訳ないのですが、毛布か寝袋のようなものをお借りできないでしょうか」

「それでは身体に毒だ。やはりゆっくりとベッドで横になったほうが」

藤間がいい終わらぬうちから俊介は手を振り始めていた。

「今夜は眠る気はありません。眠れるとも思っていません。ただ、一人でゆっくり今後のことなんかを考えたいのです。あのリビングは、そういうことをするには快適なところですから」

藤間は彼の言葉を聞き、小さく吐息をついた。妻を見て、「毛布をお貸ししなさい」といった。

俊介はリビングに行くと、椅子の上に毛布を放り出した。煙草に火をつけ、指に挟んだままキッチンに行き、冷蔵庫を開けた。バーベキューの時の缶ビールが残っている。二つ取り出し、テーブルに戻った。

煙草を吸いながらビールを飲み始めた。窓のカーテンが少し開いている。外がかすかに明るくなっている。

彼はポケットから携帯電話を取り出した。登録名『ＥＴ』の番号を表示させた。煙草を一本吸い終えてから、彼はその番号をメモリーから消去した。

約一カ月前のことだ。俊介は都内のホテルにいた。

「それ、本当？」隣にいた英里子が身体を起こした。

「どうしてそう思うの？」

「見つけたんだよ、証拠を。偶然にね」

「証拠って？」

「こいつさ」俊介が指先でつまみ上げたのは、コンドームの袋だった。使い終えた後なので、端が破られている。「ただし、使う前のやつだけどね」

「どこで？」

「あいつのバッグさ。小銭が必要だったんで、ちょっと拝借しようと探っていたら、バッグの内側についている小さなポケットに入ってた。こっそりとね」

「だからって、奥さんが浮気してるとはかぎらないんじゃない？」

「じゃあどうしてそんなものを持ち歩いてるんだ。ナンパされたがってるコギャルじゃあるまいし」

「あなたと」英里子は横を向いた。「あなたとすることもあるからじゃないの」

「冗談いうなよ。してないといってるだろ」

「どうだか」

「俺たちは結婚してから、一度も避妊してない。一刻も早く二人の子供を作るのが、いい家庭を作る早道だと思ってたからだ。子供が連れ子だけじゃ、あいつとしても肩身が狭いからな。それなのにどうしてコンドームが必要なんだ」

「ふうん、まあそんなことはどうでもいいけど」英里子はサイドテーブルに置いてあった煙草に手を伸ばした。「そのこと、奥さんに問い質《ただ》したの？」

「いや、まだ何もいってない」

「どうして？　浮気を告白されるのが怖いの？」

「まさか」俊介は身体をわずかに揺すって苦笑した。「あっさりと告白してくれるなら、今すぐにでも質すさ。でもあいつは認めないだろう。そんなことをしたら、俺と別れなきゃならないからな。しかも慰謝料を取ることもできない」

「じゃあどうする気？」

「そこだよ」俊介は英里子の唇から煙草を奪い取ると、一息吸って、また彼女の口に戻した。

「あいつに男がいるなら好都合だ。こっちとしては、何とか尻尾を摑みたい。で、ものは相談だけどさ」英里子の剝き出しの肩に手を回した。「あいつが浮気をしている証拠を手に入れてほしい。相手の男がわかればさらにいい」

「あたしにそれをやれっていうの？」

「以前、探偵事務所で働いてたとかいってたじゃないか」

「興信所よ。しかも半年」

「似たようなものだろ。それに半年だって、経験があるとなしじゃ大違いだ。その頃のテクニックと人脈を駆使すりゃ、そう難しいことでもないんじゃないのか」

「簡単にいってくれるわね。あたしにだって仕事があるのよ。奥さんのことをずっと見張ってるなんてできるわけないじゃない」

「君の仕事のことは俺が何とかする。それから、ずっと見張ってる必要なんかはない。相手の目星は大体ついてるんだ。おそらく受験の関係者だ」

「受験っていうと、奥さんの子供の中学受験ね」

「ああ。塾で知り合った父兄と、おかしな受験サークルみたいなものを作っている。暇があれば、その連中と会っているようだ。ほかのところは夫婦で参加しているみたいだから、どこかの旦那と浮気してるのかもしれない」

「同じ悩みを分かち合う仲間意識から男女の関係に発展、か。ありそうな話ね」英里子はにやにや笑った後、まださほど短くなっていない煙草を灰皿の中で消した。

「どこかの旦那でなければ塾関係者だ。進路指導をする奴とか、塾の講師とか。ちらっと聞いた話じゃ、その受験サークル仲間で講師なんかを接待することもあるらしい。そんなことがどの程度役立つのかは知らんがね」

「その接待がエスカレートして、自分の身体を提供する母親もいるってこと？」

「わからんよ。だからそのへんのことも調べてほしいんだ」

「なるほどねえ」

英里子はベッドからするりと抜け出ると、椅子にかけてあったバスローブを羽織った。さらに冷蔵庫からエビアンのボトルを出し、窓のそばに立ってカーテンを開けた。付近にこのホテルよりも高い建物はなく、広告塔が遠くに見える。

水をごくりと飲んでから彼女は振り返った。

「いいわ、やったげる」

「そういってくれると信じてたよ」

「だけど、ねえ」英里子はベッドに戻ってきた。ベッドに乗ると、四つん這《ば》いのまま俊介を見つめた。「本気なの？」

「もちろん本気さ。あいつの浮気を暴いてやる」

英里子はかぶりを振った。長い髪が揺れた。

「そうじゃなくて、奥さんと別れたら、本当にあたしと結婚してくれるのね」

「だからこそ、君に頼んでいる」

英里子はにっこりし、エビアンのボトルを持ったまま、彼の首に抱きついてきた。

俊介が缶ビールの二本目を半分ほど飲んだ時だった。背後で物音がした。振り向くと坂崎君子が戸惑ったような顔で立っていた。丈の長いTシャツ姿だった。

「あ、どうも」彼は会釈した。

「起きてらしたんですか」君子はテーブルの上を見ているようだった。ビールの缶が二つと灰皿、そして煙草とライター。「早起きされたわけ……じゃあないですよね。どちらかへ出かけておられたんですか」

「いや……どうしてですか」

「だってお洋服が」君子は上目遣いをした。「普段着じゃないみたいだから」

俊介はジャケットにパンツという出《い》で立ちだった。

「あ、これはですね」彼は口元を緩めてみせた。「じつは昨夜急用ができて、東京に帰らなきゃならなかったんです」

まあ、という形で彼女の口が開いた。

「ところが東京に向かっている途中で連絡が入って、問題は解決したということだったので、そのままUターンして戻ってきたという次第です。でも何となく眠れなくて、他人様の別荘で行儀が悪いとは思いつつ、こうして一杯やっていたというわけです」

「そうだったんですか」君子は納得したように頷いた。

「体調はいかがですか」

「ええ、おかげさまでずいぶんよくなりました」彼女はテーブルに近づき、俊介の向かい側に腰を下ろした。「これ、お借りしていいですか」毛布を手に取った。

「どうぞ。さすがにこのあたりの朝夕は涼しいですね」

「勉強するには最適だと思います」彼女は毛布を肩からかぶった。

「何か飲み物でもお持ちしましょうか。温かいもののほうがいいかな」

「いえ、お気遣いなく。何かほしくなったら自分で取りに行きます。重病人というわけじゃないんですから」

「でもあまり無理なさらないほうがいいですよ」

「ええ、わかっています。主人なんか、あたしがここへ来ることには反対だったんです。環境の変化についていけなくて、どうせ寝込むだろうからって。そうなったら、皆さんに迷惑がかかるからって。悔しいですけど、そのとおりになっちゃいました」

「迷惑ということはないでしょう。旅先で寝込むというのは、本人が一番辛いものです」

坂崎君子はふっと笑みを浮かべた。

「本当のことをいうと、あたしもあまり乗り気じゃなかったんです。でも家で姑《しゅうとめ》と一緒にいるのも気まずいですから」

「同居なんですか」

「ええ、もう五年。結婚する前は、絶対に同居はないといってたんですけど」彼女は俊介を見て、小さく首を捻った。「いやだ、なんでこんなことを愚痴っちゃったのかしら」

「どこの御家庭でも、それなりに悩みがあるというわけですね」彼は煙草を手にしたが、君子を見てすぐにそれを置いた。

「大丈夫ですよ。吸ってください」

「でも」

「そういうふうに気を遣われると余計に辛いですから。それに皆さんがいるところだと吸えないでしょ。いろいろとルールがうるさくて」

「じゃあお言葉に甘えて」俊介は煙草をくわえ、ライターで火をつけた。吐き出した煙が吹き抜けの天井に舞い上がっていく。

「あたし、並木さんはいらっしゃらないものだと思ってました。てっきり美菜子さんと章太君だけで参加されるとばかり……」

「章太が僕の本当の息子じゃないからですか」

「というか、美菜子さんの話に御主人のことはあまり出てこないから。受験には無関心だと聞いてましたし」

「彼女の頭の中に、僕のことなんかはないということでしょう」俊介は煙草を指に挟んだまま、頰杖をついた。

君子が毛布の前をさらにきつく合わせた。そのまま目だけを動かして俊介を見た。

「並木さんがいらしたことで、予定の変わった人たちも多いんじゃないかしら」

「どういうことですか」

俊介が訊くと彼女は目をそらした。瞬きすると長い睫《まつげ》が大きく動く。

「どういうことですか」と彼はもう一度質問した。

彼女はゆっくりと彼のほうに首を巡らせた。笑ってはいなかった。

「並木さんは美菜子さんを愛しておられますか」

煙草をくわえていた俊介は、その一言でむせた。「何ですか、不躾《ぶしつけ》に」

「ふつうの質問だと思いますけど。奥さんのことを愛してるかと訊かれて、戸惑うほうが本当はおかしいんじゃないですか」

「参ったな」俊介は頭を掻いた。「どうしてそんなことをお尋ねになるんですか」

「もし美菜子さんのことを愛しておられるのなら、あの人たちとの付き合いはやめさせたほうがいいと思うからです」

「あの人たちというと、藤間さんたちのことですか」

君子は俊介を見つめたまま頷いた。彼はふっと笑った。

「どうしてですか。そんなことをいうあなただって、付き合っておられるわけでしょ？あなたの旦那さんも」

「正直いって、あたしはもう付き合いたくないんです。でも主人がやめようとしません」

「わからないいな」俊介は首を振った。「何がいけないんですか。子供の受験を成功させようと協力し合っている仲間じゃないんですか」

「最初はそうだったかもしれません。でも今は別のものに変わってきています。あの人たちは……」君子は眉を寄せ、深く呼吸した後で続けた。「あの人たちは異常です」

俊介は煙草の火を揉み消した。彼女のほうに身を乗り出した。

「どう異常なんですか。ちゃんと話してください」

君子は顔をそむけた。唇を舐めている。睫がぴくぴくと動いた。

「美菜子さんは」ようやく口を開いた。「大丈夫だと思います。まだ大丈夫のはずです」

「大丈夫って、何がですか。何かあぶないことでもあるんですか」

君子は答えない。俯き、床に目を落としている。

「奥さん」

「ごめんなさい」彼女は立ち上がり、掛けていた毛布を隣の椅子に置いた。「変なことをいっちゃいました。でもこれ以上のことはあたしの口からはいえません。並木さんだって、いずれはお気づきになると思います。それが少しでも早いほうがいいと思って、少しだけお話ししました」

「ちょっと待ってください。そんなところで話を切られたら、こっちだって気になるじゃないですか。最後まで話してください」

「それはしたくないんです。だけど黙ってはいられなくて……。ごめんなさい」彼女は頭を下げ、リビングを出ていこうとした。

君子さん、と俊介は呼んだ。彼女はドアを開けたところで振り返った。

「関谷さんもそうですけど、藤間さんには特に気をつけたほうがいいです。美菜子さんも関谷さんのことは相手にしないと思うから」

俊介は瞬きした。「それは一体どういう……」

「ごめんなさい。おやすみなさい」君子は会釈を一つして、部屋を出ていった。

4

先程の坂崎君子のように、俊介は毛布をマントのように羽織った。柱時計の音が響いている。煙草の箱はやがて空になり、彼はテレビをつけた。チャンネルをいくつか替えた後、ＮＨＫに固定した。しかし彼の目はあまり映像には向かなかった。時々その目を閉じてみる。だが彼の口元から寝息が漏れることはなかった。

午前七時を過ぎた頃、まず藤間一枝が起きてきた。そのすぐ後ろから彼女の夫も現れた。彼は自分の肩を揉みながら、俊介のそばに腰掛けた。

「眠れましたか」

「いえ……」

「そうですか。私も眠ったとはいいがたいな。運転、大丈夫ですか」

「大丈夫です」

「そうですか。でも無理はしないでください。眠くなったり、疲れたりしたら、すぐにいってください。運転を代わりますから」

「お願いします」

「ええと、彼女の家はどちらですか」そういってから藤間は声をひそめた。「死んだ彼女のことですが」

「高井戸です」

「じゃあ中央道がいいな。ちょっと混むかもしれないが」

おはようございます、という声と共に関谷夫妻も起きてきた。関谷はだるそうに俊介たちのところへ来て座り、関谷靖子はキッチンへ行った。

「子供たちも起きる頃だな」藤間が柱時計を見て、誰にともなく呟いた。

「よく眠れたかな」関谷も独り言のようにいった。

「昼間のうちにあれだけ津久見先生に絞られているんだから、当然眠れたでしょう。ぐっすりと」

「あ……そうですね」関谷はやや薄くなりかけた前髪をかきあげた。「ええと、それでお二人はこれから……」俊介と藤間を交互に見た。

「十時になったらここを出ようと思っています。ホテルの駐車場で美菜子からの連絡を待つつもりです」

それでいいでしょう、と藤間も頷いた。

「子供たちには何と説明すればいいですか」関谷が藤間に訊く。

「我々が出かける頃には勉強が始まっているでしょう。津久見先生と坂崎さんも向こうの別荘にいるから、しばらくはごまかせるはずです。問題は昼食時ですが、私と並木さんは明日に予定しているバーベキューの場所の下見に行った、とでも話しておいてもらえますか」

「そういえば明日の昼間もバーベキューをするんでしたね」関谷は顔をしかめた。「とてもそんな気分じゃないが」

「がんばって平静を装ってください。子供は敏感ですから、我々の様子がおかしいと、すぐに何かあったと感付くでしょう」

「そうかもしれません。子供には変なところを見せられないな」

それから間もなく坂崎君子がリビングに入ってきた。白のトレーナーにジーンズという格好だ。

「御迷惑をおかけしました。もうすっかりよくなりましたので、これからは何でもいってくださいね」皆を見回してから彼女は頭を下げた。

「本当に大丈夫ですか。あまり無理をされないほうが」藤間が尋ねた。

「大丈夫です。テニスのお相手なんかはちょっとできませんけど」

彼女の言葉に一瞬誰もが沈黙した。

「ああそうだ。もしお身体の調子がいいのなら、今日は貸別荘のほうに行っていただけますか」関谷がいった。

「そうします。今日はうちが当番でしたよね」君子は微笑んで頷いてからキッチンを見た。「ごめんなさい。今日からあたしもお手伝いさせていただきます」

彼女がキッチンの中に消えると、関谷が大きくため息をついた。

「彼女のことを忘れてた」

「でも向こうの別荘に行くとなれば問題はない。風邪が治ってくれてよかった。こっちで中途半端にうろうろされたら後の仕事がやりにくくなる」そういってから藤間は俊介を見た。「朝食時に美菜子さんがいないことで、お宅の章太君が不審に思うかもしれない。何か理由を考えておいてください」

「わかりました」

しばらくして子供たちと津久見、そして坂崎が貸別荘から戻ってきた。

朝食はリビングでとることになった。大人と子供を合わせて十二人いるので、テーブルだけでは足りず、庭からティーテーブルを持ち込むことになった。

パンとハムエッグとサラダ、そしてジュースという簡単な朝食だった。起き抜けでまだ眠いのか、子供たちはおとなしい。章太も俊介の隣で黙々と食べている。母親のことを訊いてくる様子もなかった。

ところが坂崎が気がついた。「あれ、美菜子さんは？」

藤間をはじめ、昨夜の事件当事者たちが一斉に俊介を見た。

彼は作り笑いを坂崎に向けた。「ちょっと頭が痛いとかで、部屋で休んでいます」

「へえ、そりゃよくないな」坂崎は妻を見た。「まさか君の風邪がうつったんじゃないだろうな」

坂崎君子が不安そうに瞬きした。俊介は手を振った。

「大したことはないんです。風邪じゃなくて、何というか、例の女性特有の……」

ああ、と坂崎は自分の頭を叩いた。「それは失礼。気が利かなくて」

「おかあさん、大丈夫なの？」ここで章太が訊いてきた。

「ああ、心配ない。でも午前中は一人で寝かせておいてやろう」

「うん」

食事を終えると子供たちも少し元気になったようだ。わずかな自由時間を庭で楽しんでいる。その様子をそれぞれの親たちが真剣な眼差しで眺めていた。

坂崎君子が一人離れて、カウンターテーブルで雑誌を読んでいた。俊介は彼女に近づいていった。

「今朝はどうも」

「あ……いえ」

「さっきの話について、もう少し詳しく知りたいんですが」

「だからそれは」彼女は周りを気にしてから声をひそめた。「並木さんが気をつけておられれば、いずれわかることだと思います」

「僕はもうある程度は知っているんです」

えっというように君子は目を見張った。その目を見返して彼は続けた。

「美菜子には恋人がいるようです。もちろんそれは僕以外の男性という意味です」

君子が息を呑《の》む気配があった。顔から耳にかけて、紅潮していった。

「その相手が――」

俊介がそこまでいったところで君子は彼の後方に目を向けた。俊介が振り向くと、坂崎の長男である拓也が立っていた。

「おかあさん、風邪はよくなったの？　もう熱はないの？」

「うん、大丈夫よ。心配かけてごめんね。今日も一日、勉強がんばってね。当番はうちだから、おかあさんたちもあっちに行くから」

「そうなんだ」拓也は少しうれしそうにした。

「そうそう、着替えを出してあげなくちゃ」君子は拓也を連れてリビングを出ていった。彼女たちの後ろ姿を俊介が見送っていると、後ろから藤間が声をかけてきた。

「君子さんとは何を?」

「あ、いえ、昨夜はよく眠れましたかと訊いていたんです。彼女が何か気づいていたらまずいと思って」

「なるほど」藤間は頷いた。「彼女には注意したほうがいいでしょうね。事情を話しても、協力してくれるとはかぎらないし」

リビングのドアに目を向ける藤間の横顔を、俊介は見つめた。その視線に気づいたのか藤間が彼のほうを向いた。「何か?」

「いえ、何でも」

「並木さん」今度は坂崎が話しかけてきた。「昨日のあの、何といったかな、並木さんの部下の女性……」

「高階ですか」

「ああそう、高階さん。彼女はもう帰っちゃったんですか。ゆうべはこっちに泊まったはずですよね」

「いや、ええと」俊介は藤間をちらりと見た。

「あの方はホテルに部屋をとっておられたようですよ」藤間がいった。

「えっ、そうだったんですか。昨日はそんなことといってなかったけどなあ。ホテルっていうと、レイクサイド・ホテルかな」

「さあそこまでは聞いてませんが」

「じゃあまだホテルにいるんじゃないですか。電話して、呼んでみたらどうです」坂崎は俊介にいった。

「今日は朝早くに帰るようなことをいってたから、たぶん、その、帰ったと思いますよ」

「そうですか。ふうん……」

「何か？」

「いや、せっかくここまで来たんだから、もう少しゆっくりしていけばいいのにと思っただけです。帰る前に並木さんに挨拶しに来ないかな」

「来ないと思いますよ。仕事があるし」

「そうか。遊びに来たわけじゃないですものね」

坂崎は首の後ろを軽く叩きながら立ち去った。その背中を眺めながら藤間が呟いた。

「突然若くて美人の客が現れたものだから、何か期待していたんでしょう。気楽な人だ。ああいう人物とは秘密を共有できない」

俊介も黙って頷いた。

勉強時間が近づいてきたので子供たちが貸別荘に戻ることになった。彼等と共に津久見と坂崎夫婦が出ていくと、藤間は太いため息をついた。

「やれやれ。ようやく部外者がいなくなってくれた」

「あの人たちはいいわね。一体どんなことが起きて、あたしたちがどんな思いでいるのか、まるで知らないんだから」関谷靖子が口元を歪めていった。

俊介は彼等の前に立ち、頭を下げた。さらに俯き加減のままで口を開いた。

「御迷惑をおかけして申し訳ありません。眠らずに、といいますか、眠れないままいろいろと考えたのですが、やはり美菜子のことで皆さんにまで罪を犯させるのは、どうにも自分が許せません。どなたか一人でも、潔く警察に届けたほうがいいと思っている方がおられるのならば、そうしたいと思いますが」

「並木さん、そのことはもう結論が出ている。それについてあれこれ考えるのはやめたほうがいい」藤間が首を振りながらいった。「我々夫婦は腹をくくっています」

「うちもですよ」関谷も後に続いた。なあ、と妻にも同意を求める。彼女も頷いた。

「坂崎さんたちのことを羨ましそうにいったことは謝ります。そういう意味じゃないんです。どうかお気になさらないで」

しかし、といいかけた俊介を、藤間が手で制した。

「余計なことは考えず、出かける準備をしましょう。我々は次のことを考えるべきなんです」

俊介は小さく吐息をつき、首を縦に動かした。

坂崎は何度目かの欠伸を嚙み殺した。前では津久見がホワイトボードを使って、子供たち四人に算数を教えている。無駄口を発する者はいない。君子は津久見の脇で、テキスト配りなどを手伝っている。

「じゃあ十分間休憩。この後は理科をやるから」

津久見の言葉に子供たちが一斉に立ち上がった。坂崎も身体を伸ばした。ついでに時計を見る。十時を少し過ぎたところだった。

彼は妻を手招きした。

「ごめん、ちょっと忘れ物をした。あっちの別荘に取りに戻るから、悪いけど引き続き先生の手伝いをしていてくれるかな」

「それはいいけど、何を忘れたの？」

「本だよ。文庫本」

「文庫本？　そんなもの持ってきてたっけ」

「先生の授業を聞いている間、退屈するだろうと思って持ってきたんだ。取ってくるよ」

「子供たちが勉強中に、あなたは本を読んでるわけ？」

「別にいいだろ、やることないんだからさ」そういい終わるや否や、彼は玄関に向かっていた。君子が何かいっている。しかし彼は振り返らなかった。

貸別荘を出て道路まで駆け上がると、そこに止めてあるマウンテンバイクに近づいた。ポケットから鍵を取り出してチェーンを外し、跨《また》がった。

彼は一気にこぎ始めた。しかし藤間の別荘が近づいてもスピードを緩めなかった。むしろペダルを踏む足に一層力を込めた。藤間の別荘の前を、瞬時に通り過ぎた。

別荘地を出て左に曲がった。そのまま直進すると前方にレイクサイド・ホテルの看板が見えてきた。

ホテルの手前の道端に自転車を止め、坂崎は歩き始めた。ホテルからは続々と車が出てくる。髪の長い女性が運転している車があると、彼は立ち止まって顔を確認した。

門を抜け、駐車場を通って、正面玄関に向かおうとした時だった。紺色のシーマに乗っている人物の横顔を見て、彼はあわててそばの車の陰に隠れた。その横顔は並木俊介のものに違いなかった。さらに助手席には藤間の姿もあった。

坂崎は舌打ちをした。腕時計は十時三十五分を示している。

約三分間そこで佇《たたず》んだ後、彼は後戻りしてホテルの門に向かった。シーマの二人が彼に気づいている様子はない。

門を出る時、坂崎はもう一度後ろを振り返った。すると並木俊介がドアを開けて運転席から出るところだった。並木の目はホテルの正面玄関に向いている。坂崎もそちらを見た。そしてその目を大きく見開いた。

正面玄関から並木の車に歩いていくのは、並木美菜子だった。白いノースリーブのワンピースを着ている。さらに旅行バッグを提げていた。

美菜子が後部座席のドアを閉めると同時に俊介はエンジンをかけ、車を出した。彼女の荒い息遣いが彼の耳に届いた。

「忘れ物はありませんね」藤間が訊いた。

「ないはずです」

「部屋に指紋その他、あなたの痕跡《こんせき》も残してないでしょうね」

「十分に気をつけました。あとそれから、ホテルの領収書はハンドバッグの中に入れておきました」

「そうですか。でもその領収書は処分したほうがいいな。とにかく御苦労様でした」

「美菜子に労《ねぎら》いの言葉は不要ですよ。自業自得なんだから。彼女のほうこそ、皆さんにはどんなに詫びても詫びたりないはずです。——なあ」

俊介がいうと、後ろで彼女は、はい、と細い声で答えた。

その後、しばらく会話が途切れた。俊介が車を別荘の前で止めた時、藤間がようやく唇を開いた。

「では我々はこのまま東京に向かいます。美菜子さんは気分がすぐれないので今朝は部屋にいた、ということになっていますから、子供たちや坂崎さんたちに何かいわれたら、話を合わせておいてください」

「わかりました。御面倒をおかけします」

美菜子は車を降り、別荘への道を下っていった。白いワンピースが木々の間を見え隠れし、やがて消えた。

「あのワンピースは昨日高階さんが着ていた服に似ていますね。ああして後ろから見ると、背格好もそっくりだ。あれならホテルの従業員の目もごまかせたでしょう。二人が同じタイプでよかった」

藤間の言葉に俊介は答えず、車のアクセルを踏んだ。前から一台のマウンテンバイクが向かってくるところだった。

坂崎が自転車で別荘地に戻ってきた時、前方から並木のシーマが現れた。坂崎がブレーキをかけると、向こうも速度を緩めた。パワーウィンドウが下がり、藤間が顔を覗かせた。その顔は笑っていた。

「何やってるんですか」

「いや、ちょっと気分転換をと思いまして」坂崎も笑顔を作った。「お二人でどちらへ？」後部座席を覗き込む。並木美菜子の姿はないが、彼女が提げていた荷物は見えた。

「明日の下見ですよ。子供たちは真面目《まじめ》に勉強しているようだから、レジャーの日ぐらいは思いきり遊ばせてやりたいのでね」

「なるほど」

「あっちのほうは君子さんだけでしょう？　彼女は病み上がりだから、なるべく坂崎さんも一緒におられたほうが」

「ええ、わかっています。これからすぐに戻るつもりですよ」

坂崎が自転車のペダルに足をかけると、藤間も頷いて窓を閉めた。並木は坂崎のほうを見ない。そのままシーマを発進させた。

坂崎は自転車をこぎ、貸別荘に戻った。子供たちの勉強は続いている。君子は後ろの席で何やらメモをとっていた。彼が入っていくと非難の目を向けたが、その時は何もいわなかった。しかし理科の授業が終わり、昼休みに入ると、「遅かったじゃない」と苛《いら》立《だ》った声を出した。

「本が見つからなかったんだよ。家に忘れてきたのかもしれない」

「一体何やってるの」

「そんなことよりちょっと訊きたいんだけどさ、ゆうべ、美菜子さんは別荘にいたかい」

「美菜子さん？　いたんじゃないの」

「たしかか？　君は並木家の隣の部屋で寝ていたんだろ。彼女の姿は見たのか」

「あたしは薬を飲んでぐっすり眠ってたから、部屋の外のことなんかは知らないわよ。どうしてそんなことを訊くの？」

「いや、何か変だと思ってさ」

「変って？」

坂崎は津久見や子供たちを見た。彼等は理科の問題について、何か話し合っている。

「あっちの別荘に戻る途中、外から美菜子さんが戻ってくるのが見えた。病気っていう感じじゃ全然なくて、どこか外で泊まってきたって雰囲気だった」

「まさか」

「本当だよ。だから変だといってるんだ。昨日の夜、何かあったんじゃないのかな」坂崎は横を向いて唇を嚙んだ。

「とにかくあたしは眠ってて、何も知らないから」そういってから君子は何かを思い出したように続けた。「そういえば……」

「何だ？」

「夜中にちょっと騒がしかったような気がする。並木さんたちの部屋だと思うけど、何度も人が出入りしていたような……」

「本当か」

だが君子は頷かなかった。うんざりしたような顔を横に振った。

「よくわからない。夢かもしれない。ねえ、どうしてそんな気にするの？　自分が仲間外れにされたと思ってすねてるわけ？　パーティに呼んでもらえなかったことを恨んでるの？」

「何だよ、パーティって」

「さあね、あたしよりもあなたのほうがわかってるんじゃないの」彼女は椅子から立ち上がり、津久見たちのところへ行った。

5

昼食のメニューはサンドウィッチに決まっていた。藤間一枝が調理したものをパンに挟み、適度な大きさに切っていく。美菜子はそれを皿に盛りつけ、各テーブルに運んでいった。関谷靖子はサラダとジュース作りだ。それらもまた美菜子が運んだ。途中から坂崎君子も手伝ってくれた。

「美菜子さん、身体の具合はどう？」君子が尋ねてきた。

「もうすっかり大丈夫。ちょっと疲れただけみたい」美菜子は笑いかけた。

「そう？　あたしの風邪をうつしたのかもしれないと思ってたんだけど」

「そんなことないから気にしないで。それより、あっちのほうどう？　子供たちは、しっかりやってるのかしら」

「ええ、みんな真面目にやってるわよ」

「うちの章太も？　先生の話をちゃんと聞いてるようだった？」

「章太君は特に心配ないわよ。うちの子が一番落ち着きがないみたい」

君子はフルーツをふんだんに使ったジュースをいくつかのグラスに分けると、それをトレイに載せて歩きだした。その後ろ姿を見送った後、美菜子は関谷靖子や藤間一枝と目を合わせた。しかし三人とも何もいわなかった。

そこへ坂崎が近づいてきた。「藤間さんと並木さん、まだ戻ってこないんですか」

「さっき連絡がありました」藤間一枝が即座に答えた。「ちょっと遠くまで行き過ぎたとかで、お昼は二人で食べてくるそうです。抜け駆けしてビールを飲んだりしないから、心配しないでくださいということでした」

「ふうん、どこまで行ったんだろうな」

美菜子がトレイにサラダを載せて歩きだすと、彼も後からついてきた。

「体調はいいんですか」

「はい、御心配をおかけしました」

しかし坂崎は彼女のそばから離れない。耳元に口を近づけてきた。

「ゆうべ、何かあったんですか」

美菜子は、えっと彼の顔を見返していた。「何かって……」

「何か変わったことですよ。それとも連中は、理由もなしに、あなたをここから追い出したんですか」

「何をおっしゃってるんですか」

「まあいいや。話は後で」それだけいうと、ようやく彼は遠ざかっていった。

これまでと同様に親子単位で集まっての昼食となった。美菜子も章太と並んで座った。

「お父さんは？」章太が訊いてきた。

「ちょっと藤間さんと出かけてるの。夜までには戻ってくるから」

「ふうん」章太はサンドウィッチに食らいついた。その様子を彼女は横から見つめた。目が合うと息子は怪訝そうに眉をひそめた。「何だよ」

「ううん、何でもない」美菜子は笑みを浮かべ、ジュースを飲んだ。「ねえ、勉強はどう？　はかどってる？」

「よくわかんない。津久見先生に訊いてよ」

「あのね、もしどうしても嫌だっていうんなら、無理して私立の中学に行かなくてもいいんだからね。地元の公立に行ったたっておかあさんはかまわないよ」

章太が驚いたような顔で母親を見た。

「どうして急にそんなこというの？」

「どうしてって……そりゃあ、嫌なことを無理矢理に押しつけたくないから」

「前はそんなこと一度もいわなかったじゃない。いい学校に入って、いい大学を出たほうが結局は得をするんだから、今はがんばってくれっていったじゃないか。なんだかんだいってもこの国の学歴主義は変わらないって、いつもいってただろ」

「それはそうだけど、勉強だけが人生じゃないし」

「今さらそんなこというなよ」章太は眉を寄せ、口を尖《とが》らせた。「いい学校に行かなきゃ損ばっかりするっていったのはおかあさんだろ。悪いことをしてお金をもらってる役人だって、東大を出てるからそういう仕事につけるんだっていったじゃないか。で、やっぱり東大を出てるほかの役人とか警察に庇《かば》ってもらうから、刑務所に入らなくてもいいんだろ。この世は出世した者勝ちなんだろ。それなのに、どうして急に変なことというんだよ」

「章太……」

「ごちそうさまでした」章太は手を合わせてそういうと、席を立ってしまった。

中央自動車道は比較的すいていた。大きな渋滞に遭うこともなく、俊介の運転するシーマは確実に東京に近づいていた。

「運転、代わらなくても大丈夫ですか」間もなく談合坂ＳＡ《サービス・エリア》というところで藤間が尋ねてきた。ここまで二人の間に会話らしきものはなかった。

「大丈夫です。トイレ休憩しますか」

「いや、私は平気ですが」

「じゃあ、談合坂にも寄らないでおきましょう。なるべく早く着きたいから」

異論はないらしく、藤間は何もいわなかった。

「ちょっと訊いてもいいですか」俊介のほうから話しかけた。

「何ですか」

「僕にはどうしても理解できないんですよ。いくら親しいとはいえ、あなた方がここまで美菜子のために力を貸してくださるということが。下手をすれば全員が警察に捕まるおそれだってあるんです。それなのになぜってね。特に藤間さん、あなたのような冷静な方にしては、ずいぶん無謀な決断をされたと思います」

「それについてはすでに御説明したはずですよ。美菜子さんは我々の身内のようなものです。誰だって自分の身内から殺人犯など出したくはない」

「身内のようなもの、に過ぎないんじゃないですか。本当の身内じゃない。仮にマスコミが皆さんとの関係を嗅《か》ぎつけたとしても、とぼけてしまえば済むことのような気がします。子供たちの受験に響くというのは現実としてありそうに思えますが、それにしても殺人事件を隠蔽《いんぺい》するほどの動機になるでしょうか」俊介はフロントガラスの向こうを見つめながら淡々といった。

「並木さんは何かおっしゃりたいようですね。そんなもったいぶった言い方をなさらず、いいたいことがあればはっきりといってください。こんなことで神経も無駄な時間も使いたくはないのでね」

俊介はハンドルを握る手に一瞬力を込めた。さらに奥歯をぎゅっと嚙みしめた。車のスピードが上がっていく。

「安全運転でお願いしますよ」藤間がいった。「事故はもちろんのこと、スピード違反で捕まるわけにもいかないんですからね。何しろ我々が今ここを走っていることは、絶対に警察にばれてはならないんです」

俊介はアクセルペダルから足を浮かせた。スピードががくんと落ちる。追い越し車線を走っていたが、彼は走行車線に車を移した。

息を整えてから彼はいった。「率直にいいます」

「どうぞ」

「今回の計画は藤間さんの指示のもとに進んでいます。藤間さんが最も積極的なように見えます。そこでこう疑うわけです。藤間さんには美菜子を庇うだけの何か特別な理由があるのではないか、と。かみ砕いていうならば——」

「私と美菜子さんの間に特別な関係がある、と?」

俊介は口を閉ざした。藤間が含み笑いをした。

「朝食後、君子さんと話しておられましたね。彼女から何か吹き込まれましたか」

「いや、そういうわけでは……」

「まあいいです。彼女が我々にあまりいい感情を持っていないことはわかっていますから。それより、逆にこちらからお尋ねしたいですね。なぜ並木さんはそんなことを訊かれるのですか。あなたのほうに美菜子さんへの愛情はなくなっているわけでしょう?仮に彼女が誰かと深い関係になっていたとしても、もはや関係のないことだと思うのですが」

「僕と美菜子のことについて、他人から口出しされたくはありません。正直なところ。でも美菜子に別の男性がいるとなれば、それについて知る権利が僕にはあると思います」

「なるほど。それを知って傷つくかどうかは別、というわけですね」

「で、どうなんですか。美菜子の相手はあなたですか」

「並木さんは美菜子さんに恋人がいると決めつけておられるようですね」

「証拠を摑んでいます」

「ほう」藤間の声に動揺の色はなかった。「どんな証拠です」

俊介は少しの間黙った。その間に前をのろのろ走る軽トラックを追い越した。

「コンドームです」彼はいった。「妻のバッグに入っていました。我々夫婦は避妊をしたことがないにもかかわらず、です」

次は藤間が沈黙した。低い唸り声が俊介の耳に届いた。

「そういうことでしたら、疑惑の根拠として薄いとはいいがたいでしょうね」

「告白する気になりましたか」

「いいですよ、告白しましょう」藤間は今までと変わらぬ静かな口調でいった。「私はあなたの奥さんに、つまり並木美菜子さんに」ここで一旦言葉を切り、吐息をひとつ挟んでから続けた。「ひかれています。関心があるといいかえてもいいでしょう」

俊介は片方の頰を引きつらせた。

「大胆な発言ですね」

「彼女は美しい。女性的な魅力に溢《あふ》れている。あの高階英里子という女性なんかよりもはるかに素晴らしい女性であると思います。彼女を独占できるあなたのことが、心の底から羨ましい」

「よくもまあ臆面《おくめん》もなく……」

「この状況ですから、私もやや衝動的に語っているきらいはあるでしょうね。しかしあなたに適当なことをいってごまかしても無意味だと思いましたので」

「僕が今何を考えているか教えましょうか。やはり談合坂で止まればよかったと思っているんです」

「そして私を車から降ろしましたか。それとも何発か殴りたいのかな。男というのはおかしな生き物ですね。一方で奥さんのことを裏切っておきながら、その奥さんをほかの男にとられるとなると、やはり腹が立つわけですか」

「だからそれは我々夫婦の問題だといっているでしょう」

「でもあなたはその夫婦関係を解消したかった。違いますか」

「……美菜子とはいつからの付き合いなんですか」

「さあいつからになるのかな。塾を通じて知り合った。それ以来であることはたしかです」

「その後すぐに男女の関係に発展したわけですか」

「さてそれはどうでしょうね。御想像にお任せする、ということにしましょうか。ただね、このことだけはいっておきましょう。あなたが見つけたコンドームには、あなたが想像していることとは別の意味がある。おそらく今のあなたには考えも及ばないような理由がね」

俊介が藤間のほうに顔を向けた。「前を見てなきゃあぶないですよ」藤間が即座にいう。

「その理由については……」

「それは奥さんからお聞きになったほうがいいでしょう。私にしても想像の域を出ませんから。それに我々は現在、重大な任務を遂行中です。これ以上余計なことは考えないほうがいい。もう一つ付け加えるならば、もはや我々は一蓮托生《いちれんたくしょう》なのです。細かい人間関係を云々《うんぬん》している余裕はない」

俊介は追い越し車線に入り、再びアクセルを強く踏んだ。前方の車がみるみる近づいてくる。法定速度をかなりオーバーしていたが、今度は藤間は何もいわなかった。

英里子のマンションには高井戸からだと十分足らずで着いた。あまり新しくはないが、造りのしっかりした五階建てのビルだ。俊介と藤間は少し離れたコインパーキングに車を止め、美菜子から受け取った荷物を手にマンションに入った。管理人はいないがオートロックになっている。俊介は彼女から預かっている鍵を使って、ロックを外した。

部屋に向かう前に郵便受けの裏側に回った。それぞれのメールボックスには小さな南京錠がついている。

藤間が何か取り出した。白い手袋だった。彼は俊介にも一つ渡した。

「部屋にあなたの指紋がついているのは仕方がないですが、今日新たにつけるのはまずいでしょう。後から拭《ふ》き取るのもよくありません。警察に調べられたらわかりますからね」

俊介は頷いて手袋を両手にはめた。

「高階さんのメールボックス、開けられますか」藤間が訊いてきた。

「たぶん。鍵をいつも持ってたはずだから」

俊介は英里子のハンドバッグの中を探った。高級ブランドのキーホルダーが見つかった。そこには三つの鍵がついていた。一番小さい鍵を405号室のメールボックスの南京錠に差し込むと、ぴったりと一致した。

ボックスの中にはダイレクトメールと電気料金の領収書が入っていただけだ。それらを取り出し、蓋《ふた》を閉めて再び錠をかけた。

「新聞はないようですね」

「彼女、とってないそうです。テレビやインターネットで用が足りるとかで」

なるほど、と藤間は頷いた。

英里子の部屋は四階の一番端だ。エレベータでも廊下でも、俊介たちは誰ともすれ違わなかった。

英里子の部屋は2DKだ。しかし部屋の仕切を取り払ってあるので、実質的には1LDKのような使い方になっている。モダン調の家具は高級品が多い。全体的にベージュを基調にした色使いだ。生活臭は少なく、キッチンにも食器や調理器具はあまり置いていなかった。

「いい部屋ですね。家賃は並木さんが？」

俊介は首を振った。「彼女が以前から借りている部屋です」

彼は英里子の荷物を二人掛けのソファの上に置いた。

「バッグの中のものを取り出して、片づけてもらえませんか」藤間がいった。「着替えとか化粧品とかです。旅行バッグがそのまま残っていたら、警察は彼女がどこに行っていたかを詮索《せんさく》します」

「わかりました」

俊介はまず旅行バッグの中身をテーブルの上に広げた。化粧品をぎっしり詰めたポーチがまず出てくる。そのほかには着替え、下着を入れた袋、洗面用具などだ。彼はしばらくそれを眺めた。

「どうかしましたか」

「いえ、荷物はこれだけなのかなと思いまして」

「一泊ならそんなものでしょう。それともほかに何か荷物があるはずなのですか」

「いえ、そういうわけでは……」

俊介はそれらの一つ一つを、本来あるべき場所に移していった。洗濯物は洗濯機のそばの籠《かご》に放り込み、化粧品はドレッサーの上に並べた。

洗面用具を洗面所の棚にしまってソファのところに戻ると、藤間はリビングボードの引き出しを調べているところだった。

「何やってるんですか」

「彼女が姫神湖に行ったことを示すものがないか調べているんです。ホテルのほうは美菜子さんのがんばりで何とかカムフラージュしましたが、できれば警察の目を我々のほうに向けさせたくないですからね」藤間は手を止めて俊介を振り返った。「訊くのを忘れてましたが、あなたと高階さんの関係を知っている人はいるんですか」

「いないはずです」

「たしかですね。あなたの会社の人とかに知られてませんか」

「大丈夫だと思います」

「思います……か。それが本人たちの思い込みでなければいいのですがね」そういうと藤間は作業を再開した。

俊介は空になった旅行バッグをしまうため、クローゼットを開けた。洋服がずらりとかかっている。その下のスペースにバッグを置いた。その時、足元に黒いハンドバッグが置いてあるのが目に入った。蓋が開いていて、中身が見えている。

彼はバッグの中に手を入れた。彼が摑んだのは写真の束だった。一枚目の写真には女性の後ろ姿が写っている。どこかの住宅街のようだ。二枚目の写真には、その女性が一軒の家に入っていく様子が撮られている。この写真では横顔も見えた。

女性は美菜子に相違なかった。

そして三枚目。家のドアが開けられ、男が顔を覗かせている。俊介の頰がぴくりと動いた。写っているのは藤間だった。

俊介は藤間のほうを窺《うかが》った。藤間はリビングボードの引き出しを調べ終えたらしく、電話台の下を覗いている。

俊介は写真の束を素早く上着のポケットに入れた。

この部屋に入ってから約一時間が過ぎた。

「そろそろ引き上げましょうか」藤間が時計を見ていった。「長居は禁物だし、あまり遅くなると坂崎さんあたりが怪しむかもしれない」

「そうですね。彼女……英里子が姫神湖に行ったことを示すものが何かありましたか」

藤間は首を振った。

「かなりよく調べたつもりですがないようです。まあ、大丈夫だろうとは思いましたが」

行きましょう、と藤間はいった。

車に戻り、走りだしてしばらくしてから藤間が口を開いた。

「さっきの話ですが、どこまで隠すかというのは考えどころかもしれません」

「さっきの話？」

「あなたと彼女の関係を知っている人間がいるかどうか、ということです」

「ああ……」

「今日はいいとして、明日以降高階さんが会社に現れないとなれば、おそらく騒ぎになるでしょう。あなたにも連絡が来るんじゃないですか」

「おそらく、ね」

「そこでどう答えるかだなあ」藤間はシートの背もたれを倒した。「あなたはとりあえずはとぼけてください。つまり彼女が姫神湖に来たことはいわないでください。何度もいいますが、なるべくなら警察の目を我々のほうに向けさせたくないのです」

「それはわかっています。そうするつもりでした」

「ただ、それをどこまで貫くかということです。こうした失踪事件で警察がどこまで積極的に動くのかは見当もつかないんですが、仮に何らかの捜査が始まったとします。たぶん、男性関係なんかに最初に手をつけると思うんですがね」

「そうでしょうね」

「あなた方の関係を薄々知っていた人間がいたとします。あるいは彼女の部屋からあなたとの関係を示すものが出てきたとします。そうすれば警察は当然あなたのところへ来るでしょう。その時にどうするか、です」

「とぼけるということでいいんじゃないでしょうか。もし後でばれたとしても、不倫の関係を明かしたい人間はいないわけだから、そのことで怪しまれることはないと思うのですが」

「あなたはそれでいいかもしれないが、ほかの人間の対応は難しい。たとえばあなたがとぼけている段階で、美菜子さんが調べられるとします。高階英里子という女性について訊かれた時、何も知らないといって貫いていいものかどうか」

「何か問題が？」

「万一警察が彼女の姫神湖行きを摑めば、その供述は不自然なものになります。あなたがそこの別荘地にいたことも判明するでしょうから、当然美菜子さんも高階さんと会っているはずだと思うんじゃないですか」

「でも美菜子に気づかれないようこっそり会ったという可能性もあるわけだから、後で僕と英里子の関係がばれたとしても矛盾はしないんじゃないでしょうか」

「そうすると我々も嘘を貫かねばならないということになりますね。姫神湖で高階英里子という女性とは会わなかった……と」

を叩く。「あ、だめか」

「そうなりますが……」そこまでしゃべったところで俊介は唇を嚙んだ。軽くハンドル

「そう。坂崎さんたちがいますからね。彼等が警察に訊かれた場合、本当のことを話すでしょう。たしかに高階英里子という女性が来た、と。そうなると、それまで口裏を合わせていた人間が疑われることになる」

俊介は低く唸《うな》った。

前方に高速道路の入り口が見えてきた。彼が上着の内ポケットに手を入れると同時に、藤間が千円札を差し出してきた。どうも、といって彼は受け取った。

「そうすると基本的には嘘をつくのは僕だけにしたほうがいいということですね」

「高階英里子さんとの関係に薄々とでも警察が感付けば、観念すべきでしょう。その見極めは難しいかもしれないが……」口ごもった後、藤間は俊介の肩を軽く叩いた。「でも安心することです。我々には二重三重の防御がある。警察がいくらあなたを疑っても、まさか我々が協力しているとまでは思わない。それに何より、あの死体は発見されませんよ。死体が見つからないかぎり事件ではない」

俊介はため息をついた後、「だといいんですが」と呟いた。

6

姫神湖に着く頃にはすっかり日が落ちていた。夕食も始まっている時間だった。途中、一度だけ藤間の携帯電話が鳴った。一枝からだった。藤間は、「大丈夫、すべてうまくいってるから」とだけいって電話を切った。

別荘に戻って玄関のドアを開けると、カレーの匂《にお》いが漂っていた。リビングでは食事を終えた子供たちが津久見をまじえてゲームなどをして遊んでいる。キッチンでは女性三人が食器を洗っていた。坂崎夫妻と関谷の姿がない。

「お帰りなさい。食事は?」藤間一枝が夫に訊いた。

「ドライブインで簡単に済ませてきたよ。ええと、関谷さんたちは?」

「さあ、ついさっきまでそこにいたんだけど」

「君子さんは?」

「彼女は部屋だと思うわ。さすがにちょっと疲れたみたい」

玄関で物音がした。次に足音がしてリビングのドアが開いた。関谷が入ってきて、藤間と俊介を交互に見た。「あっ、お帰りでしたか。首尾のほうは?」

「まあ、なんとか」藤間が答えた。

「そうですか」そういった後、関谷は目を伏せた。

「どうかしましたか」

「ええ、じつは困ったことが」

「何ですか」

「ちょっと」関谷はリビングを出ていく。俊介は藤間と共に後を追った。関谷は自分たちの部屋に入っていった。

「坂崎さんが？」関谷の話を聞き、藤間が顔を歪めた。「我々の姿を見たといってるんですか」

「ええ。夕食後に坂崎さんから散歩に誘われて、そんなことをいわれたんです。彼、高階さんにだいぶ御執心だったらしく、今朝、レイクサイド・ホテルに行ったそうなんです。そこでお二人を見た、と。おまけにホテルから出てくる美菜子さんのことも目撃したらしい」

「まずいな」藤間は腕組みをした。さらに舌打ちをし、額を掻いた。「そういえば我々がここを出る時、彼と会いました。彼もホテルから戻ってきたところだったんだなあ」

「で、関谷さんは何と？」俊介が訊いてみた。

「彼は昨夜ここで何かあったと思っているようなんです。いやもちろん本当のことは知りません。むしろ彼は、何か楽しいことがここであって、自分だけが除《の》け者にされたと疑っているようです」

「馬鹿な。どうしてそうなるんだ」藤間が吐き捨てるようにいった。

「そんなことは何もないし、私は何も知らないととぼけましたがね、彼は納得していないようでした。どうしますか。このままだと彼、美菜子さんを問い詰めるんじゃないかと思うんですが」関谷は藤間と俊介の顔を見比べた。

藤間は苦渋の表情を浮かべ続けている。どこから紛れ込んだか、小さな蛾が一匹、蛍光灯の周りを飛んでいた。ときおり蛍光灯に当たる音がした。

「僕が話します」俊介がいった。

他の二人が彼を見た。

「だってそうするしかないでしょう。いずれ警察が坂崎さんのところに何か訊きに行った時、そのことを話されたら、我々の偽装が全部ばれてしまいますよ」

「そうだなあ。そうするしかないかなあ」藤間も否定はしなかった。「彼は秘密を守れるタイプじゃないから、少々不安ではあるんだが。それに果たして協力してくれるかどうかもわからないし」

「今から話してきます。坂崎さんはどちらに？」

「待ってください。並木さんが直接話さないほうがいい。説明は私がします」藤間がいった。

「いや、自分の女房の不始末なんだから僕が話します。そうすべきだと思います」

「お気持ちはわかるが、こういうことには第三者が入ったほうがいいものなんだ。我々が協力するにいたった事情なんかも話せば、彼だってわかってくれると思う」

「そうしたほうがいいよ、並木さん」関谷もいった。「藤間さんに任せよう」

俊介は大きく息をつき、二人の顔を見た後で頷いた。

「わかりました。じゃあ、その代わりに僕も同席させてください。最低限の義務だと思いますから」

「いや、でもですね」

「お願いします」俊介は頭を下げた。

少し沈黙した後、「わかりました」と藤間はいった。

「並木さんのいうことももっともだ。じゃあ関谷さん、坂崎さんを呼んできてもらえますか。ここで話したほうがいい。関谷さんが困るということでしたら、場所を変えてもかまいませんが」

「いや、ここでいいですよ。呼んできます」

関谷が出ていくと藤間は煙草に火をつけた。

「さて、どう切り出すかなあ」

「坂崎さん、驚くでしょうね」

「そりゃあ」藤間は煙を吐いた。それがゆらゆらと漂っているのを見つめていた。

坂崎が関谷に連れられて入ってきた。にやにや笑っている。その顔を藤間と俊介に向けた。

「お揃いですね」

「お疲れのところ、すみません」藤間が謝った。

坂崎は藤間や俊介と向き合う形で座った。

「話って何ですか。僕には大体見当がついてるんですがね」

「ほう。どのようにですか」

「昨夜ここであることが行われた。例のパーティだと僕は睨んでいます。ところが美菜子さんは承知しなかった。そこで彼女だけは外で泊まることにした。幸い、高階英里子さんが泊まっているホテルがあったので、そこに行くことにした。違いますか」

彼の話を聞き、俊介はぱちぱちと瞬きした。坂崎と藤間を交互に見た。

「いや、坂崎さん。何をおっしゃってるのかさっぱりわかりませんな。パーティって何ですか」藤間が笑いながらいった。頰が少し強張《こわば》って見えた。

「僕にごまかさなくてもいいじゃないですか。並木さんも御存じなんでしょう？」

「坂崎さん、あなたは何か大きな勘違いをしておられる。話というのはそういうことじゃないんです。全然別のことです」

「別のこと？」

「ええ、もっと大事なことです。大変なこと、というべきか」藤間は唇を舐めてから続けた。「じつはね、昨夜ここである事件が起きたのです。ある人がある人を誤って死なせてしまったんです」

坂崎の顔が一瞬呆《ほう》けたようになった。彼が何かいおうとしたその前に、藤間がいった。

「死んだのは高階英里子さんです。そして死なせてしまったのは美菜子さんなんですよ」

まだ事態が呑み込めていないらしい坂崎に、藤間は昨夜の出来事を淡々と語っていった。坂崎は声も出せないのか、じっと聞き入っている。脂汗《あぶらあせ》と思われるものがこめかみに流れるのを俊介は見た。

死体の処理をしたところまで話したところで藤間は一旦言葉を切り、深呼吸をしてからいった。

「というわけで、これは何としてでもやり遂げねばならないことなんです。ですから坂崎さん、あなたにも、どうしても協力していただきたいのです」

藤間が頭を下げた。隣で俊介も倣《なら》った。

「僕に共犯者になれと？」坂崎がようやくいった。呻くような声だった。

「お願いします」ここは俊介がいった。

しばらく沈黙が続いた。頭を下げている俊介には、坂崎がどんな表情をしているのかわからなかった。

「……お断りします」やがて坂崎が小声でいった。それで俊介は顔を上げた。

坂崎の顔は上気していた。

「どうして僕たちがそんなことを手伝わなきゃいけないんですか。重罪じゃないですか。冗談じゃない。そんな片棒を担がされるのなんてまっぴらだ」

「坂崎さん、しかしこれは——」

藤間の声を無視し、坂崎は立ち上がった。

「帰ります。今すぐにここを出ます。君子も息子も連れて帰ります。冗談じゃない。信じられない」そういうなり彼は部屋を飛び出していった。

第三章

1

坂崎を追って俊介も部屋を出た。藤間や関谷も後から続いてきた。

坂崎たちの部屋の前まで行くと、中から彼の怒鳴《どな》り声が聞こえてきた。

「とにかく早く荷物をまとめるんだ。こんなところはすぐに出ていくぞ」

「ちょっと待ってよ。一体何があったっていうのよ」君子が困惑したように怒鳴り返している。

「どうしたもこうしたもあるか。とんでもないことが起こってたっていうのに、おまえは何も知らなかったのか」

「だから、何があったっていうのよ」

俊介はノックせずにドアを開けた。ベッドの上で上半身だけを起こした君子が、驚いた表情で彼を見た。坂崎は大型のバッグを床で開いているところだった。

「何ですか、勝手に開けて。失礼じゃないですか」嫌悪の籠《こ》もった声で坂崎はいった。

　俊介がただ黙って彼を見下ろしていると、後から藤間が入ってきた。

「坂崎さん、落ち着いて。とにかくもう一度我々の話を」

「聞きたくありませんね」坂崎は短くいった。「君子、ゆうべ何があったと思う？　殺人だ。この隣の部屋で人が殺されたんだ。あの若い女性……高階さんとかいう人が殺されたんだ。美菜子さんが殺したらしい」

　君子は目を剝いた。怯《おび》えた顔で俊介を見た。

「しかもそれが警察にばれないよう、死体を捨てたというんだ。あの湖に。姫神湖に。ほかの人も手伝ったというんだから、狂ってるとしかいいようがない。どうかしてるよ、あんたら」

「だからそれにはいろいろとわけがあるんだよ。話を聞いてくれよ」

　関谷が宥《なだ》めるようにいうが、坂崎は両手を振り回し、かぶりを振った。

「どんなわけですか。おたくらが特別仲がいいことはわかってるよ。だけどこっちまで付き合わされる義理はないでしょうが。関谷さん、あんたわかってるんですか。殺人事件なんだよ。とんでもない犯罪なんだよ。そういうことがあったら、警察に通報するのが当然でしょうが」彼はさらに怒りの目を俊介に向けた。「大体あんたが悪いんだ。浮気をするのは勝手だが、こんなところにまで問題を持ち込まないでもらいたいね。我々には全然関係のない話だろうが。なんでこっちが、あんたの愛人と女房の揉め事に巻き込まれなきゃいけないんだ」

すみません、と呟いて俊介は頭を垂れた。

やりとりが聞こえたらしく女性たちもやってきた。美菜子の姿を見て、坂崎は一層目を吊り上がらせた。

「美菜子さん、あ、あ、あなたは自首すべきだ。そうでないとおかしい。そうしなきゃいけないんだ」

美菜子は何もいわず、困惑した顔を藤間に向けた。

「子供たちは？」藤間が一枝に訊いた。

「ついさっき貸別荘のほうへ……」

「そうか。――坂崎さん、お願いだから、もう一回だけ話を聞いてくれないか」藤間が頼んだ。

「何の話を聞けっていうんですか。おい君子、何をしてるんだ。早くここを出る支度をしろ。それからあっちに電話して、拓也に引き上げるようういうんだ」坂崎はクローゼットに入れてあった洋服を、乱暴にバッグに放り込んだ。

「仕方がない。とりあえず我々は下に行きましょう」藤間が俊介にいった。

「しかし」

「いいから」

藤間に背中を押され、俊介は坂崎たちの部屋を出た。部屋からはまだ坂崎の喚《わめ》き声が聞こえてくる。

坂崎夫妻を除く全員がリビングに集まった。最初に開口したのは関谷だった。

「やっぱり納得はしないよな。あんな説明じゃあ」

「でも何とか説得しないと」藤間がいう。「美菜子さんを守ってくれるよう頼まないと」

「ああ、ええ、それはまあそうなんですが」関谷は頭を掻いた。

俊介は立ったまま両方の目頭を押さえ、それからやはり立ったままの妻を見た。

「だけど、彼のいうことのほうがもっともなんだよな。本来ならば警察に届けるべきなんだ。そうして……」

「美菜子が自首すべきだと？」関谷靖子が訊いた。

「そうするのが当然でしょう」

「並木さん、今さら後戻りはできないんですよ」藤間が諭《さと》すようにいった。

「法律的なことはよくわかりませんが」俊介はいった。「たしかに死体遺棄の罪には問われるかもしれません。でも今警察に届ければ、そうして昨夜我々のしたことが気が動転しての行為だと訴えれば、さほど大きな罪にはならないのではないでしょうか」

「あなたやあたしたちの罪についてはそうでしょうね」関谷靖子が俊介を睨んできた。「でも美菜子はどうなるんですか。殺人罪なんですよ。それでもいいんですか。元々はあなたが悪いのに」

「靖子」

夫がたしなめたが、妻は黙らなかった。

「いいえ、いわせてちょうだい。並木さんはね、美菜子が捕まってもいいと思ってるのよ。それどころか、死刑にでもなればいいと思ってるんだわ。あの若い恋人を殺されたことで彼女を恨んでるに違いないんだから」

「いい加減にしろ」関谷が妻の肩をどんと押した。それでようやく彼女は黙ったが、俊介を睨んでいることに変わりはなかった。

俊介はズボンのポケットに両手を突っ込み、壁にもたれた。美菜子は俯いて立ち尽くしている。誰もが沈黙した。

ばたばたと階段を下りる足音がした。早くしろ、と坂崎が怒鳴っている。

関谷がリビングを出ていった。俊介も後に続こうとしたが、腕を摑まれた。摑んでいるのは藤間だった。

「あなたと美菜子さんは部屋にいてください。我々だけで話したほうがいい」

「でも」

「あなたたちの顔を見ると彼は興奮します。大丈夫、じっくり話せばわかってくれるはずです」

藤間は美菜子にも頷きかけるとリビングを出ていった。関谷靖子や藤間一枝も出ていく。俊介は頭を振りながらテーブルにつくと、煙草を取り出した。

坂崎が何かいっているのが聞こえてきた。やがて彼は妻を連れて玄関から出ていったようだ。藤間たちが追いかけていく物音がした。

「あたしたち、部屋に行ったほうがいいんじゃないの」美菜子がいった。

「ここにいてもいいだろ」

「でも藤間さんたちが坂崎さんを連れ戻してきて、ここで話をするかもしれないから」

俊介は口元を曲げると、火をつけたばかりの煙草を灰皿の中で揉み消した。

「たぶん、無駄だと思うけどな」そういって立ち上がった。

部屋に入っても二人は言葉を交わさなかった。美菜子はベッドに腰掛け、じっと床を見つめていた。俊介は窓際に立ち、今は真っ暗な森に目を向けていた。

階下から物音が聞こえてきた。美菜子が部屋を出て、すぐに帰ってきた。

「坂崎さんたち、戻ってきたみたい」

「戻ってきただけだろ」俊介はいった。「説得なんて、できやしないよ」

美菜子は何もいわず、再びベッドに腰掛けた。俊介も、彼女と向き合うようにもう一方のベッドに座った。それから左手を自分の右肩越しに背中まで回し、右腕の付け根あたりを押した。顔をしかめる。

「そこ、相変わらず痛むのね」

「仕事をしているわけでもないのにな。緊張してるってことだろう」背中を押し続けた。

「揉んであげましょうか」

「いいよ」押すのをやめた。「相手は藤間さんだったのか」

えっというように彼女が顔を上げた。

「君の相手だよ。あの人なんだろう」

怪訝そうに美菜子は小首を傾げた。

「何のこと?」

「とぼけなくてもいい。俺はみんな知ってるんだよ。付き合ってる男がいることに気づいてないとでも思ってたのか」

「あなた、何をいってるの。そんなわけないでしょ」

「さっき藤間さんから告白されたんだよ。君にひかれてるといってた。女性として魅力を感じてるとも」

美菜子は首を振った。両手を軽く広げた。

「何のこと? さっぱり意味がわからない。藤間さんとどういう話をしたの?」

「以前、君のバッグを開けたことがある。何かを調べようとしたわけじゃない。小銭を探してただけだ。ところが妙なものが見つかった。コンドームだよ。それを見て俺がどういう想像を働かせたかは君にもわかるだろ」

美菜子は口を小さく開いた。息を吸う気配があった。

「どうした？　何か釈明したいのか。それなら聞こうじゃないか。合理的な説明ができるのならね」俊介は両手で手招きした。

先程吸い込んだ息を彼女は吐き出した。全身の力が抜けたように肩が落ちた。

「そうなの……あれを見たの」

「言い訳しないのか」

「言い訳は」美菜子は真っ直ぐに夫を見つめた。「あまり意味がないと思う」

「どういうことだ」

「あなたを裏切る覚悟だったのは事実ということ。でも浮気とは違う。相手も藤間さんじゃない」

「浮気じゃないなら本気というわけか。藤間さんは認めたんだぜ。君を独占できる俺のことが羨ましいといってた」

「藤間さんじゃない。あの人だって、あたしとそういう関係になったといったわけじゃないでしょ」

「俺にはそういっているように聞こえたけどね」

「じゃあ、もう一度訊けばいいわ。あたしと肉体関係があったかどうか尋ねてみれば？」

「彼じゃないなら誰なんだ。誰と寝るつもりでコンドームを持ち歩いていたんだ」

彼の質問に対し、美菜子は不思議そうな顔を作った。

「男の人っておかしいわね。自分は堂々と浮気しておきながら、妻にその気配があると怒りだす」

「怒ってるんじゃない。質問しているんだ」

「だから答えてるでしょ。浮気はしてない。だから相手の名前もいいようがない」

「今、自分でいったじゃないか。俺を裏切るつもりだったって。どこの誰とそういう関係になるつもりだったのかと訊いてるんだ」

「それは」彼女は一回だけ首を振った。「わからない」

「わからない？　要するに、どこの誰でもよかったというわけか。俺への当てつけができればいいと考えていたわけか」

「あなたへの当てつけ？　とんでもない」美菜子は目を険しくしたままで、口元だけに笑みを浮かべた。「それこそ無意味よ。今さら当てつけてどうするの。あたしがあなたのことを何も知らなかったとでも思ってるの？　あなたの相手は高階英里子さんだけじゃない。今までにだって浮気はしてきたはずよ。でもあたしは我慢してきた。子持ちのあたしなんかと結婚してくれたんだから、少しは耐えなきゃと思ってきたのよ。何より章太のために、家庭に波風を立てたくなかった」

「矛盾してることをいってるじゃないか。夫を裏切ることは、波風を立てることにならないとでもいうのか」

「だから」美菜子が唾を飲むのが喉の動きで俊介にもわかった。彼女は続けた。「その時には別れる覚悟もできていたということよ」

「大した覚悟だな」

「あなただってあたしと別れたいんでしょ。そんなことはわかってる。で、あたしたちの関係が最悪なことに章太は気づいてる。気づいて、悩んでる。そんな状態よりは、また元の母子家庭に戻ったほうがいいと思ったのよ」

「だったらなぜ英里子を殺したっ」

俊介の言葉に、美菜子の顔から表情が消し飛んだ。能面のような顔で彼女は彼を見た。ゆっくりと目を閉じ、そして開いた。

「そうね。彼女からあなたと別れてほしいといわれた時、はいわかりましたといえばよかったわね。あなたを差し上げますと」

俊介がベッドから立ち上がった時、ノックの音がした。彼が答える前にドアは開いた。

顔を覗かせたのは関谷靖子だった。

「あの、藤間さんたちが下に来てほしいと。いろいろと相談したいことがあるので」

「坂崎さんはどうせ帰ったんでしょう。もうおしまいですよ、何もかも」

「いえ、そういうことじゃなくて」靖子は美菜子を見て、また俊介に視線を戻した。

「坂崎さんたちもいらっしゃいます」

「まだいるんですか、彼等」

「ええ、ですからとにかくリビングへ」そういって関谷靖子は先に階段を下りていった。

俊介は小さく舌打ちをした。

「やっぱり俺たちからも頭を下げろということなんだろう。正直なところ馬鹿なことをしているという気にしかならないが、仕方がない、下りていこう」

美菜子も黙って彼についてきた。

リビングに行くと坂崎夫妻が並んでテーブルについていた。彼等を囲むように藤間、関谷両夫妻が座っている。俊介たちはドアを背にして立った。

坂崎は先程までとはうってかわっておとなしくなっていた。顔を上げてちらりと俊介たちを見たが、すぐにまたテーブルに目を落とした。

「坂崎さんたちへの説明が終わったところです」藤間が口火を切った。

「説明というと？」

「つまり我々が美菜子さんを守ろうと決心するに至った経過をお話ししたんです。で、その結果」藤間は坂崎夫妻のほうに顔を向けた。「坂崎さんたちも協力してくれるということになりました」

俊介は一歩前に出た。坂崎夫妻に交互に視線を配った。

「本当ですか」

「今、そう約束していただいたところです」

俊介が口を開く前に坂崎が顔を上げていった。

「さっきは取り乱してすみませんでした。つい自分たちのことばかり考えてしまって……。失礼なこともずいぶん申し上げてしまいましたが、それは、あの、興奮して口が滑ってしまったということで、あの、許してください」頭を下げた。妻の君子は隣で項垂れたままだ。

「いや、そんなことはいいんです。それより、本当にいいんですか。重大な犯罪だとおっしゃってたのに」

「藤間さんたちから説明されて気がついたんです。美菜子さんを守ることは自分たちのためにもなるんだって。それに僕たちだって、美菜子さんが警察に捕まるところなんか見たくありませんからね」そういうと彼は美菜子にも申し訳なさそうな顔を向けた。

「美菜子さん、悪かったね。悪気はなかったんだ。だから恨まないでもらいたいんだけど」

「恨むだなんてそんな……」美菜子の声は途中で消え入った。

「これで協力態勢は万全といっていいんじゃないでしょうか」藤間が皆にいった。「あとは津久見先生だが、先生はずっと子供たちと一緒にいるんだから何も知らないはずです。我々八人が口裏を合わせれば、警察に疑われることはまずないと思いますよ」

「そう、何もなかったと思えばいい」関谷が後を引き継いだ。「高階英里子さんがここへ来たことまで隠すことはできないが、その後のことは知らぬ存ぜぬで通せばいいんだ。刑事だって、まさか全員がグルだとは考えないでしょうから」

「よかったわね、美菜子」関谷靖子が美菜子に歩み寄った。美菜子は黙ったまま、皆に向かって深々と頭を下げた。

2

今後のことをいろいろと打ち合わせておかねば、と藤間がいいだした。

「ことの重大性を考えれば、うっかり、ということは許されませんからね。念には念を入れたほうがいい」

「今夜は貸別荘には誰も行かなくていいんですか」俊介が質問した。

「先程津久見先生に電話して、美菜子さんの体調がよくないから今夜はこっちで休んでもらうといっておきました。今夜の当番は並木さんたちだったのです」

「ああ……じゃあ僕一人でも行ったほうがいいのかな」

「いえ、もう了解をとりましたから。それにあなたは美菜子さんのそばにいてやったほうがいい」

関谷夫妻や藤間一枝も同意するように頷いた。

「相談の前にどうですか。一杯やりませんか、ビールでも」関谷がコップを持つ仕草《しぐさ》をした。「正直いってくたくたです。ちょっと気分を変えたい」

「ああそうですよね。昨日から緊張続きですものね」藤間一枝がキッチンに向かいかけたが、それを彼女の夫が制止した。

「待ちなさい。――ねえ、関谷さん、お気持ちはわかりますが、もう少しだけ辛抱してください。これから話し合うことは、各自しっかりと頭に叩き込んでおくべき内容なんです。緊張が緩んでしまっては、やはりまずいと思いますから」

関谷は苦い顔をしながらも頷いた。

「そうですね。じゃ、後の楽しみにとっておきますか」

「まずこれから予想されることを述べてみます。これはすでに並木さんとも車の中で話し合ったことなのですが」俊介をちらりと見てから藤間は続ける。「高階さんの失踪により、警察がどの程度動くかはわかりません。でも捜査が行われると考えていたほうが無難でしょう。たとえば高階さんの家族か親戚に、警察に顔のきく人間がいた場合、彼等の対応は通常とは格段に違ってくるはずですから」

「彼女の身内にそういう人間がいるという話は聞いたことがないな」俊介は呟いた。

「でも想定していて悪いことはないでしょう。さて警察は何をするか。まず関係者全員に当たるでしょうね。この中で関係者といえば並木さんですが、まずは高階さんとの特殊な関係については隠すということで並木さんには了解してもらっています」

藤間は車の中での話を皆の前で繰り返した。

「つまりある時期が来たら並木さんは高階さんとの関係を白状し、姫神湖に来たことも認める。我々は警察から何か尋ねられた場合、ここで高階英里子という女性と会ったことや、行きがかり上夕食に招待したことまでは話す、というわけですね」関谷が内容を復唱した。「で、その後は知らぬ存ぜぬで押し通す」

「そういうことです。異論はありますか」

誰も何もいわず、何人かが首を振った。

「まあ、彼女がここに来たことが警察にばれないというのが理想的なんですがね」藤間がいった。

あの、と坂崎君子が手を上げた。

「警察に何か訊かれるまでは黙っていればいいんでしょうか。こちらからは何もしなくていいんでしょうか」

「どういうことですか」

「たとえばですけど、テレビのニュースなんかで高階さんのことが報道されたとしますよね。こういう女性が行方不明なので心当たりのある人がいたら近くの警察に連絡してほしい、というような。その場合に、あたしたちが何もしないのは不自然じゃありませんか」

「なるほど、後でこっちに来ていたことが知れた場合、なぜ何も連絡しなかったのかと不審がられるというわけですね」藤間は小さく首を縦に動かした。「そのことは考えておく必要があるなあ」

「連絡するかな、ふつう」関谷が首を傾げる。「関わり合いになるのを恐れて黙ってたとしても、おかしくはないと思うけど」

「でも高階さんは会社に休暇届を出されてたわけでしょう？　その休日に何をしていたか警察では捜査中、というようなニュースが流れたら、やっぱり連絡しておかなきゃと思うのが当然だと思うんです。だってあたしたちは、まさにその日に彼女と会ってるわけですから」

坂崎君子の意見に反論できないのか、関谷はただ唸るだけだった。

「そのニュースを見てなかったといえばいいんじゃないの？」関谷靖子が夫に代わって口を開く。「そもそも高階さんの失踪を知らなかったことにすれば」

「全員がかい？」彼女の夫が訊く。

「そうよ」

「いやあ、それはまずいんじゃないかなあ。八人もいて、誰もそのニュースを見てないっていうのは」

「それに津久見先生がいる」俊介がいった。「彼が連絡しないともかぎらない」

津久見のことを忘れていたのか、全員がはっとしたように顔を見合わせた。

「わかりました。ではこうしましょう」藤間が両手でテーブルを叩いた。全員が彼を注視する。「そういうニュースが流れたとします。我々の誰かがそれを目にしたとしましょう。その誰かは皆に相談するのです。高階さんが姫神湖に来たことを警察に知らせるべきかどうか。実際に集まったほうがいい。そこに津久見先生も呼びましょう」

それで、と尋ねるように皆が身を乗り出す。

「ただしその場に並木さんはいません。そこで当然こういう疑問が出てきます。警察はすでに並木さんのところに行っているだろうから、並木さんが話しているはずじゃないか」

「それはそうだ」関谷がぽんとテーブルを叩く。

「そこで代表して誰かが……いや、それは私ということに決めておきましょう。いいだしっぺですからね。私が並木さんに電話することにするのです。そして尋ねる。高階さんが姫神湖に来たことは警察に話されましたか、と」

「僕は何と答えるんですか」俊介は訊いた。

「話した、とお答えになるわけです。当然です」

「つまり僕が嘘をついたことにするわけですね」

「お嫌ですか」

「いえ、続けてください」

「それを聞いて私はごくふつうにこう尋ねます。ではなぜそのことがニュースで公表されないのでしょうね。警察はマスコミに隠しているのでしょうか。並木さんの答えはこうです。自分にもわかりません。警察には何か考えがあるのかもしれませんね——まあこんなところです」

「お見事」関谷が目を丸くして手を叩いた。「それなら筋が通る。我々が余計な嘘をつかなくても済みそうだ」

「藤間さん、小説家になれたわよ」関谷靖子が真顔でいった。

「脚本家なら目指したことがあるのよねえ」藤間一枝が夫の顔を隣から覗き見た。

「でもその場合、僕が後から警察に詰問されるでしょうね」

俊介の言葉に藤間は頷いた。

「それは避けられないでしょう。だけどあなたには彼女の姫神湖行きを隠すだけの正当な理由がある。正当、という言い方が適切かどうかはわかりませんが」

「つまり彼女との関係を隠したかったから、姫神湖に来たことも隠さねばならなかった、というわけですね」

「そういうことです」

「たしかに筋は通っていますが」俊介は首を振った。「もし警察がそこまで突き止めたら、まず間違いなく僕を疑うでしょうね。家族や知り合いと避暑地に来たところ、愛人が嫌がらせのために押し掛けてきた。口論になり逆上して殺してしまった——そういうストーリーを作られそうだ」

「いいじゃないですか、どんなストーリーを作られたって。それは事実じゃないんだから。事実でない以上、警察は何の裏づけもとれない。証拠も摑めない。警察が真実のストーリーに行き着くことなど、まずないと考えていいと思いますよ。だって我々全員が共犯だなんてこと、誰が考えますか。そして全員が共犯でないかぎり、今回の事件は成立しないのです」

俊介は反論せず、横で項垂れている美菜子を見た。その気配を察知したか、彼女も夫と目を合わせてきた。しかし彼女も黙っていた。

「でもそれは最悪の事態でして」藤間が皆を見回した。「最初にいいましたように、彼女がここに来たことが永久に警察に知られない、というのがベストです。で、そうなる公算のほうが高いと私は踏んでいます」

「本当にそうであってくれればなあ」関谷が嘆息した。「その場合は、我々は何もしなくていいわけだものなあ」

「でも連絡は密にとりませんと」坂崎君子がやや強い口調で発言した。「今の話ですけど、ニュースで流れた場合など、いつ皆で集まって相談するかなど決めなきゃいけないんじゃないですか」

「もちろんそうです」藤間も揚言した。「失踪事件が風化してくれるまで気を抜けません。いや」かぶりを振った。「この件についてはずっと気は抜けないのですが」

「ああ、なんだかいっぱい問題があるのね」関谷靖子が自分の二の腕を擦《さす》った。「覚えていられるかしら。あなた、あたしがポカをしそうだったら注意してね」

「頼りないことというなよ」

「大丈夫ですよ。靖子さんが嘘をつかなきゃならない局面というのは、そんなにないはずです。うまくすれば、何もしなくていい」

藤間の慰めに彼女はほっと息を吐いた。「そうなってくれることを祈るわ」

「決めておくことは大体こんなところだと思うのですが、何か御質問、あるいは気にかかっていることなどございますか」藤間が皆の顔を端から順にゆっくりと眺めていった。

沈黙の中、坂崎がおそるおそるといった調子で手を上げた。

「死体が見つかることはないでしょうか」

関谷が腕組みをし、咳払いをした。げんなりしたような顔を作っている。

「見つからないよう最大限の努力をした、というしかありませんね」藤間が答える。

「だけど死体というのは中にガスが溜まって、水に沈めてもいずれは浮かんでくるとかいうじゃないですか」

「そのことは並木さんも懸念されました。そういうことも考えて、いろいろと工夫はしたつもりですよ」

「でも」

「もう今さらそんなことをいったってしょうがないじゃないか」早口でいってから関谷が顔をしかめた。「今となってはどうすることもできないんだから。死体が見つからないよう祈るしかないんだよ」

「それはそうですが、何しろ僕はその場にいなかったものだから、いやもちろん、皆さんが知恵を絞られたのだろうとは思うんですが」

「だったら信じてもらうしかない。坂崎さんにはわからないだろうが、それはもうすごい労力だった。体力的にもきつかったが、精神的にも参った」関谷は坂崎のほうを見ずにそういい、そこで何かを思い出したようにそわそわした。「私でさえそうなんだから、実際に最後の仕上げをした並木さんや藤間さんの苦労は、そりゃもう計り知れない」

坂崎は何もいわずに頷いた。鼻の下を擦った。

「あの湖は中心部はかなり深いということですよ」藤間がとりなすようにいった。「一番深いところで二十メートルぐらいはあると聞いたことがある。少なくとも、流されて露出するということはないでしょう。それから、あの湖が干上がったという話は聞いたことがありません」

それなら大丈夫かな、と坂崎が小さな声でぼそぼそといった。

「あのう」今度は妻の君子が口を開いた。「警察に対して子供たちはどうします？」

全員が一斉に彼女を見た。何人かが息を呑む気配があった。

「ええと、どうしますか、といわれますと？」藤間が半笑いで訊いた。

「高階さんがここに来たことを警察が知った場合、子供たちからも話を聞こうとするんじゃないでしょうか。それについてはどう対処すれば……」

「別に問題ないんじゃないの」即座にそういったのは関谷靖子だ。「夕食の時に知らない女の人が来てた、その人がどうなったかなんて知らない――そんなふうに答えるだけでしょ」

彼女の夫や藤間一枝が頷いた。

「それだけならいいんですけど、何か見たり聞いたりしている子供がいて、それをうっかり警察の人に話してしまうというようなことがないかと」

しばしの沈黙の後、突然藤間が大きくのけぞった。「そうか、それがあったか」

皆が彼を見た。

「つまりこういうことですよ。我々にとって都合の悪いことを子供たちが知っているおそれもあるということです。たとえば死体処理の過程の一部を目撃したかもしれない。当人は何をしていたかわからないから、知らずにそのことを警官に話すかもしれません。あの夜、お父さんたちが夜中に車で出かけるのを見た、という具合に。――君子さん、そういうことでしょう?」藤間が早口で続ける。「まさか犯行そのものを見たはずはないでしょうけどね」

口を半開きにして話を聞いていた君子が、一拍置いてから大きく頷いた。

「ええ、そうです。そういうことだって考えられると思うんです。子供っていうのは、親の気づかないうちに思いがけないことを知っていたりしますから」

「だけど昨日の夜のことはさすがに知らないんじゃないかしら」藤間一枝が語尾に疑問符をつけた。「真夜中よ。それに向こうの別荘とは離れているし」

「あらゆる可能性を考える必要があるということだよ」藤間が少し目を険しくしていった。「君は考えが浅すぎる」

一枝は驚いたように夫を見たが、睨み返されて黙った。

「警察は子供からも話を聞くでしょうか」美菜子が低い声で誰にともなく呟いた。

「聞く、と考えておいたほうがいいでしょう。万一、高階英里子さんがここへ来たことを警察が摑んだなら、という仮定の話ですが」藤間が答える。

「そうか」関谷が舌打ちした。「わかりましたよ。たしかにやばいかもしれない。子供たちが何かおかしなものを見たり聞いたりしてないか、何とか確かめられないかな」

「こうしませんか」俊介がいった。「各家庭で、自分の子供から、昨夜はどんなふうに過ごしたかを聞き出すのです。なるべく細かく。そうして、危険なことを知っていないかどうか確かめる」

だがこの提案に、藤間は即座に反対した。「いや、それはまずい」

「なぜですか」

「子供というのは妙なことを記憶しているものです。そんな不自然な質問を親からされたら、きっと印象に残ってしまいます。逆効果です。それに並木さんがおっしゃったことを行うのは、実際には非常に難しい。まさか、夜中に何か変なものを見なかったか、などという質問はできないでしょう」

「それはそうですが、関谷さんがやばいとおっしゃるから……」

「断定はしてませんよ。やばいかもしれないといっただけで」

「同じことじゃないですか。あらゆる可能性を考えるわけでしょう？」

反論が思いつかないらしく、関谷は口を閉ざして横を向いた。

「やはり、警察を子供に近づけないのが一番でしょう。でもどうしてもそれが避けられないとなれば、必ずその場に同席して、おかしなことを子供がしゃべらないよう見張っているしかないんじゃないですか」藤間が渋面のままいった。

「でもしゃべられちゃったら」

「あなた」美菜子が俊介の膝に手を置いた。「その時はその時よ。あたし、覚悟はできてるから」

「君はよくても――」

「いや、あの、並木さん、それから皆さん、このことについてはもう少し時間をかけて考えてみませんか。何かを知っている子がいるかどうかもわからんわけだし、警察が子供から話を聞くのは、たぶん最後の最後だと思うし」

「そうだよ、まだあわてることはない」関谷も藤間に同意した。「時間はある」

反対意見を出す者はいなかった。そのことを最初に提起した坂崎君子も頷いている。

皆さんがそれでよければ、と俊介はいった。

議論が停滞し、そこから先は意見が出なくなった。

「今夜はこのへんにしておきましょう」藤間がいった。「何かあれば、また集まるということで」

「疲れたな」関谷が立ち上がって伸びをし、キッチンへ向かった。冷蔵庫を開け、ビールを出している。

おやすみなさい、という挨拶が各人の間で交わされた。俊介もドアに向かった。だがその手前で足を止めた。壁に貼ってある四枚の絵に目を留めた。この付近を描いた風景画だった。それぞれの絵の下に名前も書いてある。右下が章太の絵だった。

「うまいな」俊介は呟いた。章太はこの別荘を描いていた。駐車場に止めてある車も丁寧に描写してあった。車はすべて別荘のほうを向いて止まっていた。

「夏休みの宿題の一つよ」後ろで美菜子がいった。

3

部屋に戻ると美菜子は着替えを始めた。しかし俊介はライティングデスクの前に置かれた椅子に腰掛けたままだった。

「着替えないの？」パジャマ姿でベッドにもぐりこみながら美菜子が訊いてきた。

「とても眠れそうにない。ほかの人は眠れるのかな」

「あたし、昨夜は一睡もしなかった」

「俺だってそうだ。だから頭が痛い。そのくせ眠りに入れそうな気がしない」

「あたしも、たぶん眠れない。でも起きてても仕方ないでしょ」

「くそっ、ウイスキーでも持ってくればよかったな。ビールじゃあ酔えないし」自分の旅行バッグを見つめてから彼は膝を叩いた。「そうか。買ってくればいいんだ。このあたりにだってコンビニはあるからな」

「行ってくれば」美菜子は寝返りをうち、俊介に背中を向けた。

妻の肉体の形に盛り上がった羽毛布団を彼はしばらく眺めていた。それから立ち上がり、車のキーをポケットに入れた。

「行くの？」美菜子が壁のほうを向いたまま訊いてきた。

「ああ」

「ふうん。気をつけて」

俊介はドアノブに手をかけた。だがドアを開く前に妻に訊いた。

「藤間さんは、どうやって坂崎夫妻を説得したんだろうな。あんなに興奮していた坂崎さんが、すっかりおとなしくなっていた」

「納得するまで根気よく話したんじゃないの」彼女の声はくぐもっていた。

「だけどその前の坂崎さんは、とても耳を貸す雰囲気じゃなかったぜ」

美菜子はすぐには答えなかった。少し間を置いてから、「そんなことあたしに訊かれてもわからない」といった。

「それもそうだな」俊介は部屋を出た。

藤間の部屋に寄り、ノックした。すぐに返事があり、藤間がドアを開けた。彼もまだ着替えてはいなかった。「どうかしましたか」

「ちょっとコンビニに行きたいので玄関の鍵を貸してもらえますか」

「ははあ、お酒か何か」

「ええ」

「どうぞそのままお出かけください。どうせ我々はまだ起きてますから」

「そうですか」

「ではお気をつけて」

「ああ、あの藤間さん」ドアを閉じようとした藤間に俊介はあわてていった。「坂崎さんたちをよく説得できましたね。どんなふうに話されたのですか」

「小細工なんかはしていません」藤間はいった。「正直に、我々の気持ちをありのままに伝えただけです。坂崎さんも馬鹿じゃないから、話せばわかってくれたわけです」

「ははあ……」

では、といって藤間はドアを閉めた。

俊介は車で別荘地を出たが、コンビニはなかなか見つからなかった。いやコンビニはあるのだが、都会のように二十四時間営業ではなさそうなのだった。

彼は運転しながら自分の肩を揉み、時折ハンドルを持ち替えて右腕を付け根から回したりした。ポキポキと関節が鳴った。首を左右に振ってみると、首も鳴った。

結局高速道路のインターチェンジ付近まで走り、ようやく見つけた。幸い、酒も置いていた。彼はそこでバーボンとサンドウィッチとつまみ、それから煙草を買った。財布を出す時、上着のポケットに何か入っていることに気づいた。英里子の部屋で見つけた写真の束だった。

買い物を終えて車に戻ると、エンジンをかけた。しかし発進はせず、ルームライトをつけた。

俊介は写真を取り出し、一枚一枚丹念に見ていった。最初の三枚は美菜子が藤間邸に入っていくところだ。だがその後の何枚かには関谷夫妻や坂崎が写っていた。彼等も藤間の家に入っていくのだった。そして美菜子だけが出てくる写真。美菜子がスーパーに入っていくところ。

津久見の写真もあった。塾の建物から出てくるところ。喫茶店に入っていくところ。その店内と思われる写真もある。津久見は女性と会っている。女性の横顔。美菜子でも藤間一枝でも関谷靖子でも、そして坂崎君子でもなかった。年齢は三十前というところか。

そして場面が変わってファミリーレストランらしき店内だ。津久見と先程の女性、さらにもう一人男性がいる。これまた藤間でも関谷でも坂崎でもなかった。四十代半ばに見える、太った中年男だ。灰色の背広姿で、薄い頭髪を七三に分けている。

そこに美菜子が加わった写真もあった。四人で談笑している雰囲気だ。

写真は以上だった。

俊介は写真をポケットに戻し、車を出した。そこから別荘地までは四十分ほどかかった。結局買い物に一時間半以上を要したことになる。

別荘に戻ると建物から明かりが漏れていた。リビングルームからのようだった。俊介は玄関のドアを引いたが、鍵がかけられていた。チャイムを鳴らそうとして彼はその手を止め、建物の壁沿いに歩き始めた。

リビングの前に出る直前、彼は足を止めた。人の声がかすかに聞こえたからだった。彼は建物の陰からそっと覗き見た。

リビングのガラス戸が開いていて、二人の男女が並んで腰掛けていた。関谷と藤間一枝だった。二人は身体を密着させ、尚かつ関谷の手は一枝の腰に回されていた。

俊介はゆっくりと後戻りした。玄関に出ると、改めてインターホンのチャイムを鳴らした。間もなくスピーカーから男の声がした。「はい」

「すみません、並木です」

りましたか」

「ああ、はいはい」それは藤間の声だった。

鍵の外れる音がしてドアが開いた。藤間が顔を見せた。「お帰りなさい。店は見つか
「インターのあたりまで行きました」

「そうですか。この時間ですからね」

中に入ってから俊介は奥を見た。リビングのドアが開いている。坂崎の顔が見えた。

「皆さん、起きておられたんですか」藤間に尋ねた。

「やっぱり、なかなか寝つけないようです。何となく集まってしまったというわけです」

施錠した後、藤間はリビングに向かって歩きだした。俊介も後に続いた。

関谷と藤間一枝は室内に戻っていた。彼等と坂崎のほかに関谷靖子もいた。俊介は皆の顔を見回した。

「どうかなさいました?」関谷靖子が首を傾げた。

「いえ、何でも……」

「何かいいものが見つかりましたか」関谷が俊介の提げている袋を見て訊いてきた。

「大したものじゃありません。バーボンとサンドウィッチなんかです」

「なるほど。私もいつもならブランデーぐらいは持ってくるのですが、この旅行ではア

ルコールはビールだけにしておこうという申し合わせがありましたから」

「じゃあ、一緒にいかがですか」

「いや、私はやめておきます。いい加減眠らないと身体がもたないし」関谷は妻のほうを向いた。「じゃ、そろそろ休むか」

そうね、と関谷靖子は頷いた。夫婦は皆に挨拶し、リビングを出ていった。

「並木さんは、部屋でお飲みになるつもりでしたか」藤間が訊いてきた。

「ええ、そうしようかなと」

「ここを使っていただいて結構ですよ。ただし、火の元には気をつけてください」

「わかりました。ありがとうございます」

藤間夫妻も引き上げる様子だった。坂崎が後に続く。その背中に俊介は声をかけた。

「あの、坂崎さん」振り返った坂崎にいった。「パーティって何ですか」

「パーティ……」

「ええ。関谷さんの部屋で話していた時、おっしゃったでしょ。例のパーティって。それ、何なんですか」

「そんなことといったかな」

「おっしゃいましたよ」

坂崎は口を軽く開け、黒目を右上に動かした。その後ろで藤間が見ている。

「ああ、あのことかな」坂崎の視線が俊介の顔に戻ってきた。「大した意味なんてありません。カラオケパーティのことです。皆さんお好きだから、それをしたのかと思ったんです」

「カラオケ？　そんな機材、どこにあるんですか」

「豆カラですよ」藤間がいった。「ほら、持ち運びのできる玩具みたいな機械があるでしょ。うちもあれを持っていて、前に一度それで遊んだことがあるんです。でも今回は持ってきていません」

「豆カラねえ……」

坂崎は頭を掻いた。

「まあ考えてみたら、今回の旅行に藤間さんがそんなものを持ってきてるはずがなかったんですよね。とんだ早とちりでした」

俊介が黙っていると、「そういうことなので」といって坂崎はリビングを出ていった。まだドアのそばに立っている藤間が俊介の顔を覗き込んできた。「まだ何か？」

「いえ」

「並木さんも少しは眠ったほうがいいですよ」そういって藤間も去った。

誰もいなくなったリビングで、俊介はバーボンを飲み、サンドウィッチをかじった。

時折、例の写真を眺めた。

4

「並木さん、並木さん、朝ですよ」

揺り動かされて俊介は目を開けた。彼はリビングの長椅子で横たわっていた。彼を揺すっているのは坂崎君子だった。

「ああ、どうやら寝ちゃったみたいだな」彼はゆっくりと身体を起こし、周りを見た。まだほかには誰もいなかった。

「だめですよ、こんなところで寝ちゃ。風邪ひかなかったですか」

「大丈夫みたいです。今、何時ですか」

「七時を少し過ぎました」

足元に俊介の上着が落ちていた。君子はそれを拾い上げた。その時、内ポケットに入っていた写真の束が床に落ちた。あら、といってそれらを拾いかけた彼女の手が止まった。

俊介が代わりに手を伸ばして拾い集めた。君子は表情を固めていた。

「何の写真かお訊きにならないんですか」

「何の写真ですか」

「それがよくわからないんですよ。撮ったのは僕じゃなくてね」俊介は君子の前で写真を一枚一枚見ていった。だが彼女は見ようとしなかった。「英里子が撮ったものです」

君子が顔を上げた。「どうしてあの人が？」

「それにお答えする前に教えてもらえませんか。昨日の続きです。あなたはほかの人のことを異常だといいましたよね。本当は付き合いたくないとも。あれはどういうことなんですか」

「そのことはもう……」君子は急ぎ足でカウンターキッチンの中に入った。

俊介は立ち上がり、カウンター越しに写真の束を見せた。「ここには今回のメンバーが殆ど写っています。集まって、何やらやっているようです。ところがあなたの姿は一度も出てこない。これはどういうことなのかなあ」

「知りません」

「奥さん、どうしたんですか。昨日はあなたのほうからいろいろと話されたじゃないですか。それなのに今日はどうしてごまかすんです」

「別にごまかしてなんか」君子はフライパンをレンジに置き、火をつけた。冷蔵庫を開け、中を眺めている。

俊介は彼女の後ろ姿をじっと見つめた後、声を落としていった。「藤間さんに何をいわれたんですか」

冷蔵庫のほうを向いている君子の肩がぴくりと動いた。「何のことですか」

「おかしいと思ってるんですよ。あなたの御主人は、最初は美菜子を庇う気なんかまるでない様子だった。事件と関わりになるのを嫌がってた。ところが藤間さんたちと話をした途端に態度が豹変《ひょうへん》した。あんなことはふつうありえない」

「だからあれは最初主人が興奮しすぎてて、まともな判断が下せなかったんです」

「まともなんですよ。こんなことには協力しないのが当たり前なんです。客観的に考えて、藤間さんたちのほうがおかしいんです」

君子は冷蔵庫を閉じ、ようやく振り向いた。頬が少し赤くなっている。

「並木さんがそんなことをおっしゃるほうが変じゃないですか。皆さん……あたしもですけど、美菜子さんが好きだから、殺人罪で逮捕されるなんてことは何とかして避けたいと思っているんです。並木さんはそうは思わないんですか」

「そういう問題じゃない」

足音が聞こえてきた。俊介はカウンターから離れた。美菜子が入ってきた。

「あなた……眠らなかったの？」

「ここで眠ってしまったらしい」

「そうなの」美菜子はバーボンの瓶が置いてあるテーブルに目をやってからキッチンのほうに歩きだした。「ごめんなさい、君子さん。手伝うわ」

藤間夫妻が入ってきた。「お早いですね。それとも眠っておられないのかな」

「似たようなものです」

俊介はバーボンの瓶を持って一旦リビングを出た。廊下で関谷夫妻とすれ違った。会釈し合っただけで、言葉は交わさなかった。

部屋に戻るとポロシャツとチノパンに着替えた。その格好のままベッドに倒れ込んだ。その勢いでベッドは少しずれた。

しばらくそうしていたが、やがて身体を起こし、ベッドの縁に腰掛けた。時計の針は七時半を過ぎたところを指している。立ち上がり、バッグから洗面用具を取り出した。そのまま部屋を出ようとしたところで床に目をやり、動作を中断した。彼はしゃがみこんだ。

ベッドが本来の位置からずれたせいで、カーペットに脚の跡が丸くくっきりと残っていた。その円周に沿って、赤黒い染みがついている。俊介は顔を歪めた。

カウンターテーブルの前に立ち、胃薬を飲もうとしていた藤間の手が止まった。

「そんな写真を？」

「ええ」坂崎君子が頷いた。「何枚もあったようです」

「高階英里子の部屋で見つけたんだな」藤間は舌打ちをした。「そんなこと、おくびにも出してなかったなあ」

「何かまずいものでも写ってたのかな」関谷が横からいう。

「仮に写ってたとしても、写真だけじゃ何もわからないと思うよ。ただ、何か変だと感じてるのはたしかなようだ」藤間は君子を見た。「写真をあなたに見せて、彼は何といったんですか」

「なぜあなただけ写ってないと思うかって……」

君子の答えを聞き、関谷がばつの悪そうな顔をして横を向いた。髪を掻きあげている。

「ほかには何と？」藤間が訊いた。

「それだけです」

「うちにみんなが集まってくる写真を見て、どうしてそんな質問が浮かんできたのかな。君子さん、あなた彼に何かいったんですか」

「何も」彼女はかぶりを振った。

「本当ですか。正直に答えてくれないと困りますよ」

「何もいってません」

藤間はしばし彼女の顔を見つめた。彼女は目をそらさない。彼のほうがそらし、吐息をついた。

「まあしかし、それだけなら彼はまだ何も気づいてないわけだ」

「でも疑っておられます。特に、うちの人が急に態度を変えたことをおかしいと思っているみたいです」

「あれは仕方がないな。どうしようもなかった」

「だけどおかしな人だよな。みんなで美菜子さんのことを庇ってやろうっていうんだから、おとなしくしているのがふつうだと思うんだけどなあ」関谷がカウンターに頬杖をついた。「しかもその事件が、己の不倫から来た痴話喧嘩の果てだっていうのにさ。やっぱりあの彼女のことが好きで好きでしょうがなかったから、美菜子さんを助けることに何となく抵抗を感じてるのかなあ」

「あたしたちが庇うこと自体が変だと感じておられるようでした」

「うん、そういう疑問は最初から持っているみたいだった」藤間がいった。「昨日、高階英里子の部屋に向かう途中でも、そんなことをいってたよ。おまけに彼は美菜子さんと僕の関係を疑っている様子でもあった。そこで僕は否定とも肯定ともとれる言い方をしたんだけど、あれもいけなかったのかな」

「どうしてそんな言い方したんですか?」関谷が訊く。

「特別に好意を持ってるから美菜子さんを助けたいんだ——そう解釈してくれることを期待したんだよ。彼はどうせ美菜子さんには愛情を感じてないだろうと思ったからね」

「なるほどなあ。だけど、それでどうして納得しないんだろう」

「あの人は勘が鋭いから」キッチンの奥から美菜子がいった。「頭もいいし」

「どうやらそうらしい。だけど、何としてでも隠し通さないと」

藤間がそういった時、チャイムの音がした。キッチンの中にいる女性陣は、突然作業を再開し、関谷はカウンターから離れた。

「子供たちが来たらしい。皆さん、いつもどおりに」

藤間の言葉に全員が頷いた。


朝食はスパゲティだった。いつものとおり親子で集まって食べることになった。俊介は章太と向き合い、章太の隣に美菜子が座った。

「昨日、いい場所見つかった？」章太が尋ねてきた。

「えっ？」

「今日、バーベキューをする場所を探しに行ったんじゃないの？」

「ああ……そうだな。まあ、後で藤間さんから話があると思うよ」

「ふうん。そこ、木があるかな」

「木？」

「うん。夏休みの工作をしたいから」

「ふうん。木なんか、いくらでも生えてるんじゃないか」

義理の父子の会話を美菜子は黙って聞いていた。

食事が終わる頃になって藤間が立ち上がった。

「ええと、今日の予定をいいます。最初の約束どおり、今日の午後は勉強のほうはお休みです。姫神湖のそばに行って、バーベキューをします。子供たちは遊び道具を持っていってください」

藤間の息子の直人が小さく手を叩いた。坂崎の息子の拓也は小声で、やった、といった。関谷晴樹と章太はあまり表情を変えない。

「章太、うれしくないの？」美菜子が息子に訊いた。「やっと遊べるのに」

「うれしいよ」

「でもあまり楽しそうじゃないみたい」

「今、食べてる最中だからだよ」章太はスパゲティの残りを口に入れた。それを腹におさめてから彼は父親に訊いた。「どうして姫神湖なの？」

「えっ、どうしてって、何が？」

「だって昨日わざわざ遠くまで場所を探しに行ったんでしょ。それなのに、結局すぐそこの姫神湖だっていうから」

「ほかにいい場所がなかったんだよ」

「ふうん」章太はスパゲティの皿を眺めている。そんな様子を美菜子が見つめていた。

津久見が庭に出るのが俊介の視界に入った。彼はコーヒーを飲んでいたが、半分近くを残したまま席を立った。

「先生」俊介は自分も庭に出て、津久見の背中に声をかけた。

若い塾講師は意外そうな顔で振り返った。「あ、はい」

「お疲れ様です。昨夜はお手伝いに行けなくてすみませんでした」

「いえ、大丈夫です。それより奥さんの具合はいかがですか。あまり元気がなさそうですが」

「張り切りすぎて、疲れが出たんでしょう。病気というわけじゃありません」

「それならよかった」

「あっちのほうはどうですか。勉強は進んでいますか」俊介は愛想笑いを作った。

「順調だと思います。章太君も含めて、全員飲み込みが早いですから」

「そういっていただけると、たとえお世辞だとわかっていても安心します」

「お世辞だなんてそんな」

「ところで」俊介は声を潜めた。「塾の先生というのは、津久見先生のように塾以外でのお仕事……校外活動といいますか、そういうことをしている人は多いのですか」

「アルバイトという意味ですか」

「まあ、平たくいえば」

津久見は苦笑を浮かべた。

「少なくはないでしょうね。でもお金目当てというより、いろいろと義理ができて仕方なく、というのが殆どだと思いますよ」

「人を紹介したりもするんですか」

「紹介？」津久見の顔に戸惑いの色が現れた。「ええと、それはどういった人を？」

「たとえば家庭教師だとか、進学のアドバイザーだとか。ははは、そんなアドバイザーがいるのかどうかは知らないんですが」

津久見はうーんと唸り、腕組みをした。

「どちらも我々にとっては商売敵ですからね、基本的に紹介はしないと思いますよ。どうしてそんなことをお尋ねになるんですか」

「いやあ、じつは知り合いから――その知り合いも小学生の子供を持っているんですが、どこかにいい家庭教師はいないかといわれましてね。うちは塾に通わせているといったら、塾なんかじゃうちの子供の馬鹿さ加減には対応できないだろうから、是非ともマンツーマンで教えてもらいたいとかいいまして」

津久見は大きく口を開けて笑った。

「じゃあ是非ともうちの塾を勧めてください。うちはいろいろな子供に対応できることで有名なんですから。本当にいろいろな子供がいますよ。いろいろな」口元を手で隠して続けた。「馬鹿が」

俊介が吹き出した格好をした時、「先生」と後ろから声がした。藤間だった。

「そろそろ子供たちを」

「あっ、そうですね。では並木さん、失礼します」津久見は軽く会釈してから建物に向かった。

津久見が別荘内に消えるのを見届けてから藤間が訊いてきた。「何の話を?」

「別に」俊介はいった。「章太のことや塾のことなどを。何しろ、あの方と会うのは今回が初めてですから」

「不自然なことはお訊きにならなかったでしょうね」

「不自然なこととは?」

「印象に残りそうなことです。おわかりだと思うのですが、警察が津久見先生に会いに行くことだって考えられるんです。あまりおかしな印象を残すと」

藤間がいい終わらぬうちに俊介は顔の前で手を振った。

「ただの世間話です。それとも何ですか。僕が自分たちにとって都合の悪いことを、わざとしゃべるとでも?」

藤間が何かいう前に俊介は歩きだしていた。

5

午前中はうっすらと空を覆っていた雲が、正午を過ぎたあたりからすっかりどこかへ消え去った。四親子と塾講師一名の合計十三名は、姫神湖の畔《ほとり》に設けられているバーベキュー場まで歩いていった。材料や飲み物はそこに至るまでに並んでいた売店で買い、用具はそばのレンタル店で借りることになった。

「さあ、みんなもっと食べろよ。拓也、おまえみんなに新しい皿を配ってやれ。肉はまだたっぷりあるんだから」鉄板の前に陣取っているのは坂崎だ。頭にタオルを巻き、解禁のビールに時折手を伸ばしては、野菜や肉を次々に焼いていく。それを手伝っているのは津久見で、材料の下ごしらえで骨を折った妻たちは、今は座って子供たちと共に食べることに専念している。藤間は離れたところで煙草を吸っていた。

俊介は椅子代わりの丸太に腰掛け、缶ビールを手に湖を眺めた。日差しが強く、水面を直視するのも辛いほどだ。彼はサングラスをかけていた。

隣に関谷が来た。「どうですか、ひとつ」彼は柿の種の袋を差し出してきた。

いただきます、といって俊介は手を伸ばした。

関谷が声をひそめた。「どうにも食欲がなくってね」薄く笑った。「並木さんも、そうじゃないですか。さっきから見てたけど、あまり肉には手が出なかったみたいだし」

俊介はサングラス越しに相手の顔を見つめ、すぐに湖に視線を戻した。ビールを一口飲む。すでにぬるくなりかけていた。

「失礼、ちょっと不謹慎だったかな」関谷がいった。「ええと、どのあたりでしたっけ」

「今、二台のボートが並んでいるところがあるでしょう」俊介は前方を指差した。「どちらもアベックで、一方の女性は赤いシャツを着ている」

「ああ、わかります、わかります」

「あのあたりじゃないかと思うんですけど、よくわかりません。夜と昼間じゃ距離感とかが全然違うし、あの時とは見ている角度が違うし」

「ああ、そうですよねえ」関谷が双眼鏡を出してきた。それでしばらく覗いた後、「拡大して見たからってわかるもんでもないよな」と独り言を呟いて脇に置いた。

「関谷さん、カラオケはおやりになりますか」

「カラオケ？　いや、それはまあやらないことはないけど、付き合い程度ですよ。でも最近はあまりやらないな。若い連中と行っても浮いちゃうだけだし、同年代じゃ行かなくなりましたからね。あ、でも、並木さんが行こうっていうことなら付き合いますよ。そういえばこの近くにも何軒かありましたよね、カラオケ。ええと、ほかには誰が行きそうかな」

後ろを振り向いて、今にも誰かに声をかけそうな関谷の肩を、俊介は押さえた。

「いや、別にお誘いしてるわけじゃないです。ただ、皆さんはどういうお付き合いをしておられるのかなと思いまして」

「といいますと？」

「子供の進学のことで集まることなんか、結構あるわけでしょう？　たとえば藤間さんの家に集合するとか」俊介は関谷の顔を覗き込んだ。

「あ、藤間さんの家にね。ええ、はい、それはまあ時々。いや、それほど頻繁にというわけじゃないですけどね」関谷は頷いたり、首と手を振ったりした。

「そんなふうに集まった時、子供のことを話す以外にどんなことをするのかなと思いまして。いや、何しろ僕は今回が初参加なもので、皆さんとの付き合い方がわからず戸惑っているんですよ」

「ははあ、なるほど。でも別に大したことはしてませんよ。お茶を飲んで雑談するぐらいなもので」

「カラオケなんかはしないわけですね」

「やったことないなあ」関谷は首を捻《ひね》った。

「そうですか」俊介は頷き、再び湖に目を向けた。先程まで正面に見えていた二つのボートは、正反対の方向に漕ぎだしている。

「あのう、並木さん」関谷が俊介のほうに顔を近づけてきた。後ろをちょっと気にする素振りを見せながら続けた。「あなたのお気持ちもわかるけど、ここは一つ、気持ちを切り替えることを考えたほうがいいと思うなあ」

俊介は瞬きし、相手の顔を見返した。「何のことです」

「恋人……というより愛人というべきなのかな。まあどっちでもいいや。とにかく、自分の惚《ほ》れている女がこの世からいなくなった、これはあなたにとってショックなことだと思うし、男としては同情できるんだけども、ものは考えようだと思うんですよ。並木さんがどの程度本気だったのかはわからないけど、僕は、結局のところいつかはあの恋人とは別れなきゃいけなかったと思うな。美菜子さんがすんなり離婚にオーケーしたとは思えないし、あんまり揉めるのは、世間体を考えた場合でもまずいでしょ。ひどい修《しゅ》羅場《らば》を演じた挙げ句に何もかも失ってしまうよりは、もしかしたら今回の結末ってのは少しはましだったかもしれませんよ。それにねえ並木さん、いい女なんてこれからいくらでも現れますよ。僕は浮気が絶対にだめだなんて思ってない。人生をエンジョイする潤滑剤だと思ってます。まああんまり大きな声ではいえませんけどね。だから気持ちの切り替えが必要なんですって。やっぱり大事なのはこれからだと思うんだよね。あなたには社会的な地位もあるし、家庭だってある。その家庭を放棄しようとしたのかもしれないけど、みんなを不幸にしたかったわけではないでしょう？　たとえば章太君のことなんかは、それなりにかわいいわけでしょう？」

「それはもちろんそうですけど……何がおっしゃりたいんですか」

だから、といって関谷はまた一度後ろを見た。

「いろいろと割り切れないことはあると思うけど、とにかく今はみんなで力を合わせてこの局面を乗り切るしかないってことですよ。ほら、一枚岩って言葉があるでしょ。あれにならないとだめだと思うんだなあ」

「僕が何を割り切ってないというんですか」

「いや、それは僕にはわからないけどさ、どうもみんなにいろいろと訊いて回ってるみたいだし、何か引っかかりを感じてるのかなあと思ってね」関谷は足元から小石を拾いあげ、湖に向かって投げた。小さな波紋が生じ、やがて消えた。

俊介は遠くに視線を投げた。藤間が彼等のほうを見ていた。俊介と目が合うと顔をそらし、背を向けて歩きだした。

「皆さん、仲がいいですね」空になった缶を潰し、俊介はいった。

「何ですか、急に」

「この旅行に参加してみて、つくづくそう思ったんですよ。こんなに結束の固いグループというのは、あまり見たことがない。ふつうは陰で足の引っ張り合いをしていたりするものですが」

「そういうことをしない者同士だから、うまく続いているってことですよ」

「そうなのかもしれませんが……」俊介は関谷の顔をじっと見た。「恋愛感情なんかは芽生えたりしないものなんですか」

「えっ」関谷が目を剝き、後ろにのけぞった。

その時、章太が後ろから近づいてきた。俊介は笑い顔を作った。「どうした？」

「お父さん、背中に虫がついてるよ」

「本当かい？　取ってくれ」

「うん、動かないで」章太が俊介の後ろに立った。それをきっかけのように関谷が立ち上がり、離れていった。

「取れたかい」

「だめ。逃げられた」

「どんな虫だ」

「ええと、黒いでっかい虫。でもクワガタとかじゃなかった」

「ゴキブリじゃないだろうな」

「違うと思うよ」

立ち去ろうとする章太に、「あの絵のことだけど」と俊介はいった。

「絵？」

「別荘の壁に貼ってある絵だよ。こっちに来てから描いたんだろ」

「うん」

「いつ描いたんだ」

「一昨日《おととい》。一昨日の午後にみんなで描いたんだけど」

「一昨日、ね」

「どうかしたの？」

「いや、何でもない。それより、みんなと遊ばないのか」俊介はあたりを見回した。関谷晴樹が座ってゲームをしているのが見えた。藤間直人は母親のそばにいる。坂崎拓也の姿は見えない。

「遊ぶ時ぐらいは」章太がいった。「一緒じゃなくていいよ」

俊介は息子の顔を見た。息子は俯《うつむ》いて歩いていった。

バーベキューは終わったらしく、片づけが始まっていた。俊介も手伝いに加わった。坂崎君子がいたので、彼女の息子はどこなのかと彼は訊いた。

「うちの人が釣りに連れていったみたいです。すみませんね、うちの人ったら、なんにも手伝わなくて」

「なあに、坂崎さんには調理係をしてもらったから、後片づけは我々の仕事ですよ」関谷が笑っていった。

後片づけがすべて終わると、後は夕食まで完全自由行動となった。それぞれの家族単位で行動することになる。俊介は津久見を見つけ、近寄っていった。

「先生、ちょっとお願いがあるんですが」

「何でしょう」

「貸別荘の鍵を貸していただきたいんです。昨日、お手伝いに行けなかったものですから、このままだとあちらの別荘の様子を見る機会がなくなりそうなので」

「そうか。今夜は藤間さんが当番になっていましたね」

いいですよ、といって津久見は鍵をポケットから出した。

「あなた」津久見が去った後、美菜子が俊介のもとへ来た。「これからどうする？」

「俺はちょっと行きたいところがある。章太と二人で好きにしてていいよ」

「行きたいところって？」

「そんなもの聞いたって仕方がないだろ」俊介は歩きだしていた。

美菜子が小走りで追ってきた。彼の横に並び、小声でいった。

「藤間さんが、なるべく個人では行動しないでくれって。後で今日の行動なんかを警察に訊かれた時、不自然なことが少ないほうがいいからって」

「別に不自然なことをするつもりはないよ。それより章太を一人にしておいていいのか」

あっと声を漏らして美菜子は後ろを振り返った。そのまま立ち止まった。

俊介は止まらずに歩き続けた。もう一度湖を見た。湖面の反射はだいぶ弱くなっている。彼はサングラスを外した。


関谷親子は湖畔の土産物屋に入った。関谷がキーホルダーの並んだ棚を見ていると、妻が隣に来た。

「晴樹は？」彼は訊いた。

「お店のテレビゲームで遊んでる」

関谷はため息をついた。「あいつはいつもゲームだな」

「でもちょっとおかしいわ。いくら何でも、あんなに……。さっきだって、バーベキューの後、ずっと携帯用のゲームをしてたんだから。何かに憑《つ》かれてるみたいに」

「好きなんだろ」

「だから、いつもはあそこまでじゃないのよ。今朝だって、様子が少し変だった」

「どう変なんだ」

「何となくよ」

「それじゃ、わからんだろうが」

関谷が眉を寄せた時、晴樹が入ってきた。二人は同時に咳払いをした。

「晴樹、何かお土産を買ったらどうだ。クラスの友達に買うとかいってたじゃないか」

晴樹は首を振った。「もういいや。あんまりいいものないし」

「そうか？　これなんかどうだ。振ると虫の音が聞こえるんだぞ」関谷がキーホルダーを振ったが、晴樹は見ようともしない。

「ねえ、今日はもう本当に勉強しなくていいの？」

「いいのよ。最後の夜なんだから、ゆっくりすればいいわ。おかあさんたちの部屋に来てもいいし」

晴樹は何とも答えない。関谷夫妻は顔を見合わせ、次に目をそらした。


息子を連れて戻ってきた夫を、君子はベンチに腰掛けたまま上目遣いに見上げた。

「どうだった？」

「さっぱりさ。時間帯が悪いんだろう。魚のいそうな場所はあるんだけどさ」釣り竿をそばの木に立てかけ、坂崎は君子の隣に座った。拓也は少し離れたところで片づけを始めた。釣りの道具もレンタルしたものだった。

「拓也、少しは気分転換になった？」君子は息子の背中に声をかけた。

息子は手を休めることなく、ちょっと首を捻るしぐさをしてみせた。

「何よ、それ。どういう意味？」

しかし拓也は無言だ。母親を振り返ろうともしない。

「獲物がゼロだから機嫌が悪いのさ」坂崎がいう。

「釣れなくたっていいじゃない。朝早くに行っても、全然だってことあったでしょ。それより、こういうところでのんびりできることがうれしいと思わない」

「よせよ」

「だって」

片づけを終えた拓也が立ち上がった。初めて母親のほうを向いた。

「別に機嫌悪くなんかないよ」その顔は笑っていた。

「そう？」

「ちょっと疲れちゃったんだ。ずっと勉強ばっかりしてたから」

「大変だったわね。そんなに無理しなくていいんだからね」

「だけど」拓也は釣り竿を肩に担いだ。「中学には受からなきゃまずいでしょ」

「えっ……」

拓也は歩き始めていた。その背中を見た後、君子は夫を見た。夫は肩をすくめた。

直人はクリームソーダを少し飲んではショートケーキを口に入れた。口の周りにクリームがついている。

メインストリートにある喫茶店の二階に藤間親子はいた。窓枠いっぱいに姫神湖が見える席だ。藤間はコーヒーを飲み、一枝はミルクティーを飲んでいた。

「どうだ直人、勉強の成果は上がったか」

藤間が尋ねると、直人はあわててフォークを置き、両手を膝に下ろした。藤間は苦笑した。

「食べながらでいい。説教するつもりじゃないんだから」

「今は好きなことをしていい時間なんだからね」一枝も微笑みかけた。

直人が安堵《あんど》の表情でケーキを食べ始めるのを見て、藤間はいった。「で、どうなんだ」

「あなた、その話は後でいいじゃない」

「まあまあだよ」直人がそういってフォークをイチゴに突き刺した。「わからないところなんかも、津久見先生に教えてもらったし」

「そうか。なあ直人、中学に入ったら何をしたい？　スポーツか。旅行か。それともやっぱり、まずは思いきり遊びたいか」

「うーん」直人はイチゴを口に入れた。「でも、中学に入ったからって、油断して遊んじゃいけないんじゃないの。前にお父さん、そういったよ」

藤間は妻と目を合わせた。

「そうだったかな」息子にいった。

「うん。できる人間とできない人間の分かれ目は、みんなが気を抜く時に一緒になってさぼるか、その時こそがんばるか、だって。だから中学に入っても、やっぱり一所懸命勉強して、成績を上げていかなきゃいけないんじゃないの」

藤間は即答せず、笑みを浮かべてコーヒーカップを引き寄せた。コーヒーを二口飲んでからカップをソーサーに戻した。

「そうだな」彼はいった。「油断しちゃいけないな。じゃあ、今の調子でずっとがんばっていくってことだ。もちろん、それができるんなら、それが一番いい」

ケーキを食べ終えた直人は、ストローでクリームソーダの中をかき混ぜている。不安そうに息子を見つめる一枝に向かって、藤間は一つ小さく頷きかけた。

6

貸別荘に着くと、俊介は津久見から借りた鍵で中に入った。玄関には靴箱があったが、今はサンダルが二つ入っているだけだった。藤間の別荘と同様、奥にドアがあり、そこを開けると十畳程度のフロアがあった。折り畳み式のテーブルが二つと、椅子が四つ。壁際に椅子が二つ。反対側の壁にはホワイトボードが置いてあった。

俊介は部屋の明かりをつけ、室内を見回った。引き戸があったので開けてみると、四畳半の和室だった。何も置かれておらず、がらんとしていた。

五分ほどそうした後、明かりを消してそこを出た。

廊下の途中に階段があったので、彼はそこを上がっていった。中二階といえそうな位置にドアがあった。そこを開けると中は三畳程度の部屋で、シングルベッドが隅に置いてある。ベッドの足元には大きなスキー用のバッグ。参考書やノートの類《たぐい》が、そこからはみ出ていた。俊介はここでも明かりをつけ、床などを入念に眺めた後、明かりを消してドアを閉めた。

そのまま階段を上がると、まず四畳ほどの細長いスペースがあり、端には手すりがついていた。吹き抜けの天井がすぐ上に見える。

反対側にドアが二つ並んでいた。ドアには骨董品《こっとうひん》と呼んでよさそうな真鍮《しんちゅう》色の丸いノブがついていた。一方のドアにはトイレのマークがついている。彼はもう一方のドアを押し開いた。

二段ベッドが二つ、両側の壁に寄せて置かれていた。ベッドにはそれぞれカーテンがついていて、今はそれがすべて閉じられていた。

俊介は右ベッドの下のカーテンを開けた。枕元に電気スタンドと参考書が置いてある。掛け毛布の上にはブルーのパジャマがきちんと畳まれていた。

「あなた」俊介の背後から声がした。

彼が振り返ると、白いTシャツにジーンズという出で立ちの美菜子が立っていた。バーベキューの時にかぶっていた帽子もそのままだった。

「何してるの？」

「美菜子こそ、どうしてこんなところにいるんだ」

「訊いてるのはあたしのほうよ」

俊介は子供たちの部屋のドアを閉め、妻のほうに向き直った。

「俺がここにいることは津久見先生から聞いたんだろ。だったら、鍵を借りた理由も話してくれたんじゃないのか。昨日こっちには来れなかったから、帰るまでに一度、章太の勉強している場所を見ておきたかった、ただそれだけだ」

美菜子は顎を引き、上目遣いをした。「そんなはずないでしょ」

「どうして？」

「あなたはあたしたちを捨てる気だったんでしょ。そうして彼女を選ぶつもりだったんでしょ。そんなあなたが、どうして今さら章太のことなんか気にするはずがあるの？」

俊介はこめかみを掻き、美菜子の横を通り過ぎた。一階を見下ろした後、手すりを背にした。

「なぜ俺のことをそんなに気にする？　俺が何をしたって構わないだろう。英里子の死体は無事に始末した。事件の隠蔽は着々と進行中だ。藤間たちは何事もなかったって顔で、この旅行を終えようとしている。俺だってやれるだけのことはやった。何も邪魔しちゃいない。それで何の文句がある」

「あなた一人だけ、おかしな行動をとってるでしょ。こんなところに来たりして」

「だから、それのどこがいけないのかと訊いてるんだ」

「みんなと協調してほしいのよ」そういってから彼女は俯いた。「あたしなんかを助けたくないって気持ちはわかるけど」

俊介は床に腰を下ろした。隅に参考書やパンフレットのようなものが積んである。一番上にあった冊子を手に取った。『学校案内　修文館中学』と表紙に印刷されている。

「章太はどうしてる？」

「あっちの別荘にいる。木で何か作ってるみたいだった」

「工作だろ。一人なのか」

「津久見先生が一緒だと思うけど」

「ふうん」彼は壁にもたれた。「君たちの関係を見ていると不思議に思うよ。親たちは異常に仲がいい。結束が固いといってもいい。ところが子供たちはそうでもない。こんなところに来て、いよいよ自由に遊べるとなったら、四人ではしゃぐのがふつうだ。それなのにあの四人は、バーベキューが終わった後も、それぞれ別々に行動してた。まるで知らない者同士みたいにさ。あれは一体どういうことなのかねえ」

「何がいいたいの？」

「不自然だといってるだけだ」

「子供が集まれば、必ず仲良く遊ぶというものじゃないわよ。あの子たちは、あれで結構難しいんだから」

「そうなのか。まあ、俺にはわからないな。やっぱり、本当の子供がいないからかね」

「あなたが章太のことを愛してないのは知ってるわ」

「俺は俺なりに彼のことを考えてきたつもりだよ」

「章太のことを彼、なんていうのね」美菜子は吐息をついた。

俊介は手にした冊子をぱらぱらとめくった。「関谷と藤間の関係はどうなってるんだ」

「えっ？」彼女は目を見開いた。

「昨日、俺が外から帰ってきたら、関谷と藤間の奥さんが庭でいちゃついてた。おやおやと思って表から入っていくと、リビングには関谷の奥さんも藤間もいた。坂崎も一緒だったたな。つまりお互いに連れ合いがそばにいるっていうのに、そんなことをしてたわけだ。一体どうなってるんだと俺が不思議に思っても当然だろ」

「ちょっとふざけてただけでしょ」

「俺だって大人の男だぜ。ふざけてるのか、本気でいちゃついてるのかぐらいは、見ればわかるさ」

美菜子は腕組みをし、体重を後ろの壁に預けた。唇を嚙み、眉間に皺を寄せている。そんな妻を俊介は下から見上げていた。

「知らない」ぶっきらぼうな口調でいった。「他人様のことには口出しできないし」

「君子さんがいってたよ。あの人たちは異常だって。その意味がわかってきた」美菜子が彼を見たので、その目を見返しながら彼は続けた。「でも美菜子さんはまだ大丈夫だと思う、ともいってたな」

「何のことだかさっぱり……」

「彼等は息子の受験という悩みだけでなく、肉体でも結ばれてるんじゃないか、と俺は疑っているわけだよ」

美菜子の胸が大きく上下し、喉が唾液を飲み込む動きをした。

「あたし、そろそろ戻るわ」階段に向かって歩きだした。

「美菜子」

俊介の呼びかけに彼女は足を止めた。しかし振り返りはしない。

「本当に英里子を殺したのか」

美菜子がわずかに首を捻った。だがやはり俊介に目を合わせてはこなかった。

「あなただって見たでしょ」

「俺が見たのは彼女の死体だけだ」

「それなら……」

「俺が訊いてるのは」彼は一呼吸置いてからいった。「本当に君が英里子を殺したのか、ということだ」

美菜子は階段に足をかけたまま動かない。何秒間かそうした後、一段だけ下りた。

「おかしなことをいうのね。あたしじゃなきゃ、誰が殺したっていうの」

「わからない。それを考えている」

「あたしが殺したのよ」ようやく彼女は俊介のほうを見た。「あなたの愛する恋人を、あたしが殺したの。信じたくないかもしれないけど、それは事実。だから、好きなだけあたしのことを憎めばいい」

俊介が口を開きかけた時には、美菜子は階段を下り始めていた。

彼女が玄関から出ていく音がした後も、俊介は座ったままだった。顔を擦り、髪の毛に手を突っ込んで頭をがりがりと掻きむしってから、ようやく立ち上がった。

彼の手にはまだ冊子があった。それを元の場所に戻す前に、彼はもう一度頁《ページ》を少し繰った。修文館中学の正門の写真、校舎や様々な設備の写真が載せられている。さらには校長の顔写真、その次には学校職員が並んでいる写真。

頁を繰っていた俊介の手が止まった。彼の目は職員たちの写真に捉えられていた。

彼はズボンのポケットを探った。やがて出してきたのは、英里子の部屋から持ち出した写真の束だ。彼は再び床の上で胡座《あぐら》をかき、写真を一枚一枚見ていった。

彼が抜き出したのは、津久見が二人の男女とファミリーレストランらしき場所で会っている写真だった。それを冊子の上に置き、二つを見比べ始めた。

7

夜の六時になると、いつもどおりに夕食が始まった。今夜のメニューはピザとサラダだった。これは近くの店から宅配してもらったものだ。昼間に動き回ったので女性陣は疲れているだろうから、ということで決まったことだった。また食後には花火大会をやることになっていたので、後片づけはなるべく少ないほうがいいのだった。

会話の乏しい食事だった。大人も子供も、ただ黙々とピザを口に運んでいた。笑い声をあげる者は殆どおらず、ちょっとした会話さえも声をひそめて交わされた。

「どうしたんですか、皆さん。元気がないようですね。三日目ともなれば、さすがに疲れましたか」藤間が明るい声でいった。

だがそれに応じる者はいなかった。辛うじて関谷が笑いながら周りを見回しただけだ。

「まあ、あとは明日、無事に帰るだけ。今夜はひとつ、避暑地の夜を楽しんでください」

締めくくるようにいった藤間の言葉にも、誰も反応しなかった。

夕食後には予定どおり、花火大会をすることになった。規則により建物の近くではできないので、管理事務所のそばの空き地まで皆で歩いていった。

坂崎と藤間が中心になって打ち上げ花火を何発か上げた後、子供たちに花火が配られた。食事の間は無口だった子供たちも、ここではようやく笑顔を見せた。

俊介が線香花火をしていると、章太が近寄ってきた。

「お父さん、車のキー貸してほしいんだけど」

「いいけど、どうするんだ?」

「ちょっと車の中にあるものを取りたいんだ」

「ああ、わかった」俊介はポケットからキーを出し、章太に渡した。

ありがとう、といって彼は離れていった。

花火を全部燃やしてしまうと、皆で掃除をした後、別荘への帰路についた。親子がひとかたまりになって、薄暗い道を歩いていく。だが俊介は、一人離れて一番最後を歩いた。美菜子と章太は、ずっと前にいる。

一旦皆で別荘に帰ってから、例によって津久見が子供たちを連れて貸別荘に戻ることになった。今夜の当番は藤間だった。

「じゃあ皆さん、最後の夜を楽しんでください。私は向こうで、津久見先生と将棋でも指してますから」玄関で藤間が片手を上げた。子供たちはすでに外に出ている。

「ちょっと待ってください」俊介は一歩前に出た。

藤間が笑顔のまま彼を見た。「どうかしましたか」

ほかの者も彼に注目している。藤間以外に笑っている者はいなかった。美菜子は真剣な目つきで夫を見つめている。

「藤間さんも津久見先生も、向こうへ行くのは少し待っていただけませんか。重要な話があるんです」

藤間の顔から笑いが消えた。

「今すぐでないといけないわけですか」

「ええ。大至急、と申し上げておきます」

「なるほど」藤間は隣に立っている津久見のほうに顔を巡らせた。「じゃあ、子供たちだけ先に行かせましょうか」

「そうですね。鍵を渡してきます」

津久見が出ていった。

「場所はどこがいいですか」藤間が俊介に訊いた。

「どこでもいいですよ。リビングでもいいし、僕たちの部屋でも。英里子の死体があった部屋、といったほうがいいかな」

藤間は口元を歪めた。その表情のまま、顎を突き出した。「じゃあリビングで」

津久見が戻ってきた。「子供たちには先に帰ってるよういいました」

「そこの鍵をかけてください」俊介はいった。「万一にも子供たちには聞かれたくない話なので」

津久見は唇を動かしかけたが、結局何もいわずに玄関の鍵をかけた。

リビングに大人たち全員が集合した。テーブルには藤間夫妻と関谷夫妻、津久見がつき、カウンターに坂崎夫妻がついた。美菜子は窓のそばに椅子を置いて座った。

「さてと、では始めましょうか」俊介は立ったまま皆を見回した。「重要な話がある、といいましたが、それを話すのは僕じゃありません。皆さんのほうです。是非話していただきたい」

「何のことといってるんですか」関谷が笑いながらいった。

「もちろん事件のことですよ。二日前のね」

「あれの何を話せと？」藤間が訊く。

「真実です」俊介はいった。「あの夜、本当は何があったのかを話していただきたい。それを聞かないかぎり、僕は皆さんのことを味方だとは思えない」

「あなた……」

「君は黙ってろ」彼は妻を一蹴《いっしゅう》し、再び全員に視線を配った。

声を発する者はいない。彼のほうを見る者もいなかった。

「もし話してもらえないのならば」俊介はポケットから携帯電話を取り出した。「今すぐに警察に電話します。電話して、あの夜のことを話します。僕が知っているかぎりのことをすべて」

第四章

1

沈黙が十秒以上。その間、人形のように誰もが動きを停止していた。遠くで、ぽんっ、と打ち上げ花火の音がした。

「ははは」藤間が低く笑いだした。「真実だの警察だの、まるでドラマのようですね。いいでしょう。並木さんが何のことをいっておられるのか、今ひとつ私にはよくわからないのですが、ゆっくり話し合おうじゃないですか」

ただ、といって彼は津久見のほうに顔を向けた。

「その話は先生には関係ないことじゃありませんか。我々の家庭の事情に、先生まで付き合わせるのは気の毒ですよ。先生には、貸別荘に戻ってもらっていいんじゃないですか。子供たちだけにしておくのも心配ですしね」

賛成、と関谷が手を上げた。

「せっかくですがね、そういうわけにはいきません。津久見先生にも、いてもらわなければ困るんです」

「だけど先生には」

「先生こそ」藤間の言葉にかぶせて俊介はいった。「今度の事件の鍵を握っておられる人物だと思いますのでね」

俊介の視線を受けて津久見はぱちぱちと瞬きし、不安そうに藤間を見た。藤間は先程までのぎこちない笑みから、厳しい顔つきに変わっていた。

俊介は大股で歩き、津久見のすぐそばに立った。塾講師は気圧《けお》されたようにわずかに身を引いた。

「津久見さん、あなた、英里子に何をいわれたんです」

「……何のことですか」

「何かいわれたはずです。いや、単にいわれただけじゃないな。たぶん、そう、脅《おど》されたんじゃないかな」

「脅されるって、僕がですか？　馬鹿な。そんな、初めて会った人にどうして……」かぶりを振りながら、笑いと戸惑い、迷いが混ざり合った表情を津久見は見せた。

「あなたが英里子と会ったのは初めてかもしれない。でも彼女はずっと以前からあなたのことを知っていた。知っていただけでなく、観察していた」そういうと俊介は上着のポケットに入れてあった写真を津久見の顔の前に突きつけた。「どうです、これはあなたでしょう？　どこかのファミリーレストランのようですね」

写真を見て、津久見がぐっと顎を引いた。彼が何かいう前に俊介は続けていった。

「英里子は以前調査会社に勤めていて、こういうことはお手のものなんですよ。もっとも、彼女が最初調べていたのはあなたのことじゃない。彼女は僕に頼まれて、美菜子のことを調べていたんです。美菜子が浮気をしていると僕は睨んで、その相手を突き止めようとしたわけです。英里子はその指示に従って、美菜子の日常を追跡したのでしょう。ところが親しい人間、つまりあなた方の行動を監視するうちに、全然別のものが網に引っかかってきたのです。それがこの写真です」俊介は写真をもう一度津久見の顔の前に出した。津久見は目をそらした。

「その写真が何だというんですか」藤間が苛立った口調で訊いた。

俊介は藤間を見返し、何もいわずにキッチンカウンターに向かって歩いた。坂崎夫妻が身構えたが、彼は彼等には見向きもせず、カウンターの端に置いてあった冊子を手に取った。

「これが何かは御存じですね。修文館中学の学校案内です。皆さんがどんな手を使ってでも息子さんを入れたいと思っている中学です」彼はある頁を開き、皆に見えるように掲げた。「ここに中学校の職員の写真があります。教師ではなく職員です。この職員の中に僕が見たことのある人間が二人いました。といっても会ったわけじゃありません。この二人です」そういって彼はもう一方の手で、先程の写真を上げた。「津久見さんは修文館中学の職員と会っていた、ということになる。進学塾の講師が、受験校の職員と個人的に会う――これは通常では考えられないことです。いかがですか、津久見さん。このことについて説明していただけますか」

津久見はテーブルの上で指を組んだだけで答えない。すると藤間が発言した。

「それは一概にはいえないんじゃないのかな。並木さんは不正めいたことが行われているように考えておられるらしいが、進学塾が様々なコネクションを利用して情報収集するというのは、ごく当然だと思いますがね」

「コネクションねえ。それは一体どういうものですか。津久見さんに説明してもらいたいんですがね」

俊介は津久見に詰め寄るが、若い塾講師は黙り込んだままだった。

「写真はまだあります」俊介は別の写真を取り出した。「こっちには修文館中学の職員のほかに美菜子の姿もあります。進学塾の講師と受験校の職員と受験生の母親が、こっそりと会っている。この会合の意味を、健全な方向には考えにくいというのは、決してひねくれた感想だとは思えないのですが」

「だったら美菜子に訊けばいいじゃないの」こういったのは関谷靖子だ。しかし彼女も俊介の目を見ようとはしていない。

「僕が訊いても、彼女が正直に答えるとは思えないから、ここでこうして皆さんに尋ねているんです。どうやらあなた方が抱えている嘘というのは、連帯責任の発生するものらしいですからね」

関谷がうんざりしたように大きくため息をつき、テーブルを叩いた。

「一体あなたは何がいいたいんですか。はっきりいえばいいじゃないですか」

「では、そうしましょう」俊介は関谷を見つめてから、改めて津久見のほうに向き直った。「英里子は美菜子の浮気相手を調べるうち、偶然思いもよらないことを摑んだ。それがあなたと修文館中学の職員との繫がりであり、それを利用した父母への裏口入学の斡旋《あっせん》だった。彼女はそれをネタにあなたを脅迫した。見返りはカネかもしれないし、美菜子の相手を知ることだったかもしれない。一日目の夕食後、彼女は二時間後にはすべてがわかっているはずだと僕にいったんです。その二時間であなたに会い、いろいろと取引をするつもりだったと推測します。ところがあなたには取引に応じる気はなかった。あなたが考えていたのは、突然現れた危険で邪魔な高階英里子という女性をどう始末するか、ということだった」

「ちょっと待ってください」津久見が目を剝いた。「僕が殺したっていうんですか」

「津久見先生っ」藤間が鋭くいい放った。

俊介はにやりと笑った。

「藤間さんがあわてるのも無理はない。今の言葉は、あなたが英里子の死を知っていることを示している。しかも殺されたということまでね。あなたは何も知らないことになっているはずなのに」

津久見は唇を結び、下を向いた。

俊介は全員を見回した。

「とはいえ実際のところは、英里子に脅された津久見先生が保身のために彼女を殺した――そんな単純なシナリオではないでしょう。でも一つだけたしかなことがある。彼女を殺したのは美菜子じゃない」

「どうしてそういいきれるんですか」藤間が訊いた。

「僕の疑問のきっかけは簡単です。肉親でもないのに、なぜこんな大それたことに皆さんが協力してくれるのか、ということでした。いかに親しくても、また事件発覚後に訪れるに違いない混乱に巻き込まれるのが嫌だろうとも、死体遺棄を手伝う、殺人犯を庇うというのは、どうにも納得がいかなかったのです。その点坂崎さんの最初の反応は合点のいくものでした」俊介はカウンター席の坂崎夫妻を振り返った。「そんな馬鹿なことに協力できないと激怒されましたが、あれはふつうなのです。ほかの人がおかしいのです」

「でも我々も結局協力したわけだから……」

坂崎がいったが、俊介は首を振った。

「だから余計におかしいと思ったのです。あれほど激昂《げっこう》していた坂崎さんが、どうしてあっさりと協力者側に回ったのか。事件の裏にはもう一つ別の真相がある――そう考えざるをえませんでした」

俊介はズボンのポケットに手を入れ、丸めたティッシュペーパーを取り出した。それを広げると、うっすらと中央部が赤く染まっている。彼はその部分が皆によく見えるよう両手で持った。

「これが何だかわかりますか」

誰も答えない。すると俊介はティッシュペーパーをテーブルに置き、藤間一枝のほうに押し出した。

「あなたならわかるんじゃないですか」

一枝は俊介を見返した。鼻の穴が少し膨らんだ。「どうしてあたしが？」

「部屋を掃除した、とあなたがおっしゃったからです。英里子の死体の痕《あと》を消したのもあなたということになる。じつをいうと、ちょっと不思議ではあったんです。カーペットについた血の痕というのは、そうそう簡単に消せるものじゃない。ところがあの部屋のカーペットは、ほぼ完全に元どおりになっています。最近は便利な洗剤がたくさんありますから、すぐに拭き取ればかなり奇麗になるのかなと、それでも一応納得はしていたんです。でも昨日、たまたまベッドをずらしたところ、血の痕が少し残っていたんですよ。鮮やかな赤色をしていました。それをティッシュでこすったのが、今あなたの目の前にあるものです」

一枝はティッシュを見つめ、次に夫を見た。藤間は俊介を睨み続けている。

「おかしいでしょう」俊介はいった。「カーペットについた血を一日以上放置しておいたら、ふつうは黒く変色するものですよ。ところが奇麗な赤のままだった。それどころかティッシュに水を含ませて拭いたら、その赤い色が簡単に落ちたんです。これは血じゃない、すぐにそう思いました。僕は職業柄、塗料には詳しくてね、これの正体にも見当がつきました」テーブル上のティッシュペーパーを指して続けた。「絵の具です。子供たちが使っている水彩絵の具です。これなら奇麗に拭き取るのも難しくはなかったでしょう」

藤間が煙草を出してきた。灰皿を乱暴にテーブルに置き、吸い始めた。ほかの者は沈黙を続けている。

「違うのよ、あなた」美菜子が発言した。「あなた、何か勘違いしてる。あたしがやったと思いたくない気持ちはわかるけど、あたしが殺したの。その赤い絵の具は……たぶん、そう、別の時にカーペットについたものなのよ」

「君は黙ってろ」俊介の声が大きくなった。「そんな言い訳が通用すると思っているのか。見ろよ、藤間さんたちを。ある程度は観念して、俺の話を聞いておられる。もうおしまいなんだ。芝居はしなくていいんだよ」

「観念しているかどうかはともかく、続きを話してください」藤間が煙草をくゆらせた。

「いいでしょう、続けます。さて血痕が偽物だったとなれば、死体はどうか。死体は残念ながら本物でした。英里子は死んでいた。ではなぜ偽の血痕が必要だったのか。それは殺害現場があの部屋だと思わせるためです。もちろん僕に対する、僕だけを騙《だま》すための偽装でした。英里子はどこか別の場所で殺され、あなた方の手によって、あの部屋に移されたのです」

俊介は関谷のすぐ前に手をついた。さらに、彼のほうにぐっと顔を近づけた。

関谷は身を引いた。「何ですか」

「あなたはあの夜、二度、死体を運んだのです」俊介は指を二本出した。「僕と一緒に湖に死体を沈めに行ったのは、じつは二度目でした。その前にもあなたは死体を運んでいるんです」

「何の証拠があってそんなことを」関谷は片側の頬をひきつらせた。

俊介は下がり、ドアのそばに立った。そして横の壁を指した。そこには子供たちの絵が貼られている。

「この章太の絵を見てください。こちらの別荘を描いたものです。駐車場に車が止まっていますよね。手前の四角いワゴン車は、いうまでもなく関谷さんの車です。御覧になればわかるように、車は別荘のほうを向いて止まっています。ところがあの夜――」俊介は両手を腰に当てた。「英里子の死体を運び出す時、関谷さんの車は道路を向いて止まっていたのです。つまりどこかで一度、あの車が使われたということになる」

関谷が呻き、身体をもぞもぞさせた。そうしながらも笑い顔を作った。

「たったそれだけのことで……あの夜は、そういえば何度か車を使ったことがあったんじゃなかったかな。なあ」彼は妻に同意を求めた。しかし関谷靖子は咄嗟に反応できなかった。彼女は泣き出しそうな顔をしていた。

「おかしなことはもう一つあります。湖畔のボートです」俊介はいった。「死体を運んでいった時、ボートが一つだけすぐに使える状態になっていました。その時にはたまたまなのだろうと思いました。だからついているとさえ思ったものです。ほかのボートのようにひっくり返してあったなら、まずボートをセッティングするところから始めなければなりませんからね。我々は死体の身元がわからないようにしたら、すぐに漕ぎ出すことができました。死体を僕と藤間さんとで湖に沈めた後は、使ったボートをそのままにして立ち去りました。ところが後で美菜子をホテルへ送っていった帰り、あの場所に寄ってみたら、我々が使ったボートは片づけられていました。貸しボート屋の人間がやったとはとても思えない時間です。そのことは藤間さんにも話しましたが、なぜかそのことはあまり気にしておられないようでした。死体遺棄についてあれほど慎重に熟考された藤間さんにしては妙でした。でもこう考えると辻褄《つじつま》が合うのです」一歩前に出て、右手の人差し指を立てた。「あの時、もう一人協力者がいたのです。その人物は死体遺棄がスムーズに行くよう、陰でバックアップしてくれていました。おそらくあの貸しボート屋では先回りして、ボートをセッティングしてくれたのでしょう。ただしその人物は姿を見せられません。正確にいうならば、僕に見つかってはいけなかったのです。なぜなら僕への説明では、その人物は事件のことを知らないことになっていたから」

つまり、といって俊介は津久見の顔を覗き込んだ。

「陰の協力者とは、津久見先生、あなただ。あなたは貸しボート屋に先回りしてボートを用意し、我々が死体遺棄を済ませて立ち去った後は、ボートを元どおりにした」

「いや、僕は……」

口ごもりながらも何かいおうとする津久見を無視して俊介はいった。

「ボートを用意したり片づけたりという仕事は、大したことではありません。我々だけでもできたでしょう。だけど津久見先生は何らかの形で協力する必要があった。逆にいえば、何らかの形で先生にも協力してもらわねばならなかった。真相を知る人間全員がしっかりと犯罪に加担することで、結束が固くなると思われたからです。先生が後になって怖くなり、警察に吐露してしまうのを防ぐためでした」

　俊介は全員の顔を眺めながらテーブルの周りを歩きだした。ゆっくりと一周し、元の場所に戻ると彼はいった。

「さあ、何か反論があるんならしてください。あるいは、僕が挙げたいくつかの疑問を合理的に説明できる方がいらっしゃるのなら、どうか発言していただきたい。とにかく今のままでは僕はこれ以上協力できないし、皆さんを助けようとも思わない。先程もいったように警察に連絡するだけです。その結果、僕の罪も問われるでしょう。だけどそれでも構わない。嘘の話に騙されて共犯者にされるぐらいなら、死体遺棄罪で訴えられるほうを選びます。ずるい言い方をすれば、おそらく情状酌量の余地ありと判断してもらえるでしょうしね」

　さあどうですか、と彼は一段と声のトーンを上げた。

　テーブルの女性陣は気落ちした様子で項垂れ、関谷と津久見は苦悶《くもん》の表情を浮かべた。美菜子は身じろぎせず、坂崎は頭を抱えている。坂崎君子は空中の一点を見つめているようだった。

　藤間だけが無表情だった。彼は何かを考えるように天井を見上げた後、大きく長いため息をついた。

「やっぱり、こういうことになりました……か」諦めの口調だった。

「やっぱり、といいますと」俊介が訊く。

「二つのプランがあったんです。単純なプランと複雑なプランです。私は単純な道を選びたかった。しかし美菜子さんが反対した。きっとうまくいかないといってね。彼女に反論できる者はいなかった。だから複雑な道を選ぶことになった」

「この期に及んで、持って回った言い方はやめましょうよ」

「失礼、そうでしたね。でも一言だけ言い訳がしたかった。私をはじめ何人かは、最初からすべてをあなたに打ち明けたほうがいいと主張したんです」

「たしかに言い訳にすぎない。だけどそうおっしゃる以上は、この場では話していただけると思っていいんですね」

「話さないと、あなたは即刻警察に連絡するんでしょう？」

「そういうことです」

「だったら、もう逃げ道はない」藤間は俊介から視線を外し、皆を見回した。「これ以上隠すのは不可能です。並木さんに話してもいいですね」

誰も答えない。藤間は繰り返した。「話しますよ。いいですね。美菜子さん、もういいですよね」

「皆さんがいいのなら」美菜子は下を向いたままで答えた。

藤間は咳払いをした。改めて俊介に目を向けてきた。

「そこまで推理されたんだ。並木さんも薄々は真相に気づいておられるんでしょう。まずはそれを聞きたいな」

「それをお話ししても――」

「覚悟の問題です。並木さんがどの程度覚悟しておられるのかを伺っておかないと、話の持っていき方が難しい。とにかく、極めて微妙な状況なのでね」

俊介は腕組みをし、小さく唸った。周りを見たが、藤間以外の者は全員、目を伏せている。

「率直にいうと、推理というより想像です。想像していることはあります」

「それで結構」藤間は頷いた。

「美菜子が犯人でないと考えた場合、では彼女は誰を庇っているのか、ということになります。僕が知りたかった、彼女の浮気相手だろうか。でもそれでは皆さんが事件隠蔽に協力してくれるとは思えない。これほどまでに皆さんが力を合わせ、津久見先生までもが必死になって庇おうとする人間は誰か。そう考えた時、条件を満たす答えは一つしかありませんでした。ここまでいえば、僕がどのように今回の真相を想像しているかはおわかりですよね。全くもって馬鹿げた妄想としかいいようがないのですが、これ以外に答えは思いつかない。英里子を殺したのは、今回の旅行に参加している者で、今ここにはいない者ということになるのです」

「そう、そのとおり」藤間が笑みを浮かべ、静かにいった。「犯人は子供です」

2

いっとき、完璧な静寂が室内を包み込んだ。誰もが身動き一つしなかった。衣《きぬ》ずれの音もせず、息遣いも聞こえなかった。

最初に訪れたのは、みしり、という床がかすかにきしむ音だった。俊介が足を踏み出したからだった。

「誰ですか」彼は藤間に訊いた。低い声だった。「誰の子供ですか、と訊いたほうがいいのかな。それともやっぱり、これも僕の推理どおりなのかな」

「ほう、どのように推理しておられますか」

「犯人は」俊介は続けた。「子供たち。つまり四人の子供たち全員でやったこと。だからこそ皆さん全員が共犯者となることを躊躇《ためら》わなかった」

「なるほど」藤間は頷いた。「まあそこまで見事に推理した並木さんだ。最終的にそういう結論に落ち着くのは無理ないかもしれないな」

「違うというんですか。子供たち全員が関わっているわけではないと」

「それをお話しする前に、最初から順番に説明していったほうがいいかもしれませんね。何があったのか、一から十まで」

「いいですね。僕も変な具合に、はしょられたくない。夜は長い。いくらでも聞きます」

「では、まずは津久見先生から話していただきましょう。高階英里子さんとのやりとりからです」

藤間に指名され、津久見は戸惑った顔をした。いいんですか、と小声で訊く。

「並木さんはここまで見抜いておられるんだ。もう諦めましょう。諦めて真実を話し、後は訴えましょう。我々の気持ちを」

藤間にいわれ、津久見は目を伏せて少し黙り込んだ。やがて彼は俊介を見上げた。テーブルの上に置いた両手で拳を作った。

「高階さんは最初、世間話でもするような調子で話しかけてきたんです。僕もまさか並木さんの知り合いだとは思わないから、まるで油断していました。でもそのうちに彼女が僕に話しかけてきたのは偶然じゃなくて、ちゃんとした意図があってのことだとわかってきました。彼女は僕のことも、皆さんのことも、驚くほどよく知っていました。それだけでなく、皆さんが子供たちを修文館中学に入れようとしていることまで把握していたんです」

「さらには」俊介はいった。「あなたが特別なコネクションを使って修文館中学の職員と接触し、裏口入学を特定の父兄に斡旋していることまで——そういうことですね」

「裏口入学という言い方は正確ではないんですけど、まあいいです。高階さんもそういう表現を使っておられましたから。あの方が僕に見せたのは、これと同じような写真です」津久見はテーブルの上に置いたままになっていた写真を手に取った。「ファミリーレストランで、彼と二人の修文館中学の職員とが会っている写真だ。「ただこの写真と違うのは、何というか……単に塾関係者と私立中学の職員、それから受験生の親が会っているというだけではないという点でした。彼女が出してきた写真には、ある決定的なシーンがいくつか写っていたんです」

「決定的……それはつまり」俊介は唇を舐めてから改めて口を開いた。「何らかの金銭の授受を示している写真だったわけだ」

津久見は藤間のほうを見た。藤間がいった。

「汚いといわれるかもしれませんが、親というのは子供のこととなるとすべてを投げ出してしまえる。お金で合格が得られると聞くと、いけないこととわかっていても、ついそちらのほうに足を踏み出してしまうものなんですよ。並木さんのいわれるとおり、高階さんが津久見先生に見せた写真には、たとえばうちの家内がお金の入った封筒を渡しているシーンなどが写っていました。それからええと、関谷さんのところも……」

「靖子がお金を持っていきました。その場面も写真に撮られていました」関谷が投げやりな口調でいった。

俊介は美菜子に訊いた。「君もカネを渡したのか」

「いえ、あたしはまだ……」美菜子は首を小さく振った。

「美菜子さんはまだ出してはおられないようです。でも、そのつもりはあったんでしょう？」

藤間がいった。

美菜子は少し迷う素振りを見せた後、顎を引いた。

「うちもまだ払っていません」坂崎君子がいった。「でも、津久見先生からそういう方法があることを聞いて、何とかしようとは思っていました」

俊介はため息をつき、頭をゆらゆら振った。

「わざわざ東京の英里子の部屋にまで行ったのも、彼女が摑んでいるかもしれない他の証拠を回収するためだったんでしょうね。それにしてもあきれたな。こんな勉強合宿までしておきながら、どうして裏口入学なんて頼むんですか。子供の学力や努力を信用しようとは思わないんですか」

「あの子たちのがんばっている姿を見ているからこそ、何かしてやりたいと思うんです」関谷靖子が目を赤く腫《は》らしていった。「だってもし落ちてしまえば、あれほどの努力が全部水の泡になっちゃうんですよ。そんなの、かわいそうじゃないですか」

「勉強したことは無駄にはならないでしょう」

俊介の言葉に、ふっと関谷が笑いを漏らした。

「受験用の勉強は受験にしか役に立たない。そんなこと、常識ですよ」

「だからといって――」そういった後、俊介は軽く瞼《まぶた》を閉じた。深呼吸をひとつしてから津久見を見た。「その裏口というのは確実なものなんですか。つまり、カネさえ出せば確実に合格が保証されるわけですか。世間には、うまいことをいってカネだけ騙し取る手口があると聞きますが」

「絶対、とはいいきれませんが」津久見は重そうに口を開いた。「ほぼ確実という言い方はできると思います。さっきもちょっといいましたけど、裏口というのとは少し違うんです。受験はふつうに行われます。合否の判断も通常どおりに下されます。そこにはいくらお金を出しても関与できません」

「だったら」

「試験でいい点を取ってもらうわけです」津久見はいった。「いい点を取りさえすれば合格できます。そのための確実な手段を得るというのが、僕が修文館の職員を皆さんに紹介した目的です」

「確実な手段……」俊介は首を傾げた。「もしかして、試験問題の漏洩《ろうえい》……」

「そういうことです」津久見は苦しげに頷いた。「写真に写っている職員、特に男性のほうは、試験問題を管理する立場にある人物です」

「その地位を利用して私腹を肥やす、か。どこにでもある話といってしまえば、それだけのことなのかもしれないが……」俊介は唸った。「でもそれなら、一人がカネを払えば済むことじゃないのかな。皆でカネを出し合って試験問題を買い、それを皆で回し読みすればいいじゃないですか」

「向こうだってそれぐらいのことは考えています。単に試験問題のコピーを渡してくれるわけじゃありません。そんなことをすれば証拠が残ってしまいますしね。受験前夜、お金を払った家の受験生と親だけが都内のホテルに集められ、そこで初めて試験問題が教えられるんです。それを手書きで写さなきゃならないし、答えは教えてもらえないから急いで親子で解答を作ることになります。とても他人に問題を教えている余裕はないんです」

「なるほどね。英里子はそこまで摑んでいたのですか」

「いえ、彼女はそこまでは知らないようでした。だから裏口入学という言葉を使ったんでしょう。いずれにせよ彼女は写真に写っている金銭授受のシーンを、何らかの不正に関わることと気づいていました。この写真をマスコミに送ることも不可能じゃない――彼女は笑いながらそんなふうにいったんです」

「それを思い留《とど》まる条件として、彼女は何を要求したんですか。やっぱりカネですか」

「いえ、その時は何も要求してきませんでした。自分はこういう情報を摑んでいる、ということを示してきただけでした」

「何も要求しなかった？」俊介は首を捻った。「なぜだろう」

「恐喝者のセオリーでしょう、並木さん」藤間がいった。「要求の言葉を口にすれば罪になる。足元をすくわれるきっかけにもなりかねない。まずは弱みを握っていることを示し、じっくりと相手の出方を見るわけです。彼女、奇麗な顔をしていて、なかなかの曲者《くせもの》だったわけだ。調査会社にいたというのなら、その時に身に着けたノウハウなのかもしれないな」

俊介は奥歯を嚙みしめ、藤間を睨みつけた。だが何もいわず津久見に視線を戻した。

「じゃあ、その時はそれだけで別れたわけですか」

「いえ、後でもう一度ゆっくり話がしたいといわれました。それで夕食後に会うことにしたんです」

「どこで？」

「貸別荘のそばに小さな空き地があるのを御存じですか。クヌギの木が植えられていて、ハンモックがぶら下がっています。そこで九時に会うことにしました」

「九時にね。でもその前に彼女を夕食に誘ったわけですか」

「誘ったのは僕じゃありません。僕と高階さんが話し終えた頃、関谷さんが近づいてこられたんです。関谷さんは彼女が並木さんの部下だと知ると、夕食を御一緒しないかと誘われたんです」

「あの時は、まさかそんなやりとりが、津久見先生と彼女の間であったとは知らなかったから」関谷が言い訳した。

「じゃあ、いつ知ったんですか」

「夕食が終わる直前、私と関谷さんだけが津久見先生から打ち明けられたんですよ」藤間がいった。「驚きましたが、とにかく彼女の話を聞こうということになりました。ほかの人にはとりあえず黙っていることにしました。方針が決まるまでは不安がらせるだけだと思いましたのでね。ただ、この話をしていたのが庭の隅だったのですが」彼は裏庭に目を向けた。「ちょっと軽率だったかもしれない。そばには誰もいないと思いこんでいた」

「というと？」

「どうやらその時に、我々の話を聞いていた人間がいたようです」

「子供ですね」

「まあそうです」

「誰ですか」

「それはいずれわかります。津久見先生、話の続きをどうぞ」藤間が掌を津久見のほうに出した。

「並木さんも覚えておられると思いますが、あの夜は九時頃まで皆さん相手にちょっとした講習を行いました。その後、僕は高階さんとの待ち合わせ場所に行きました。今もいった、クヌギの木がある空き地です」

「ちょっと待ってください。その前に僕のことを話さないと」関谷が小さく手を上げていった。「津久見先生より一足先に、僕はここを出ているんです。先生と高階さんとのやりとりがどういうものになるか、こっそり見ようと思ったからです。すぐに待ち合わせ場所に行くわけにはいきませんから、一旦貸別荘に行き、少し経《た》ってから出かけました。離れた木陰で様子を見ると、彼女はクヌギの木のそばでぼんやり座っていました。ところが津久見先生がなかなか現れません。おかしいなと思って、こちらの別荘に引き返してみると、津久見先生がやってくるところでした。聞いてみると、靴の片方を探していたっていうじゃないですか。おかしなこともあるものだと話しながら、私たちは高階さんの待っている場所に向かいました。とはいえ、私は途中から少し遅れていくことにしました。すると間もなく津久見先生が血相を変えて戻ってくるんです。先生の様子は尋常じゃありませんでした。どうしたんですか、と訊いてみたら……」

続きを任せるように関谷は津久見のほうを向いた。

津久見はじっとテーブルを見つめたままいった。

「彼女は死んでいたんです。クヌギの木のそばで、頭から血を流して……」

俊介は、胸に溜めていた息を吐き出した。

「その時すぐに警察を呼ばなかったのはなぜですか」

「呼ぼうと思いました。でも、その前に関谷さんがあることに気づいたんです」

「足跡ですよ」関谷はいった。「現場には足跡がいくつか残っていました。それを見た途端、大変なことが起きたのだとわかったんです」

「その足跡というのは……」

「そうです。並木さんだって知っているでしょう？　子供たちがお揃いで履いている、あの運動靴の跡だったんです」

3

「そばには石が落ちていました。ドッジボールほどの大きさの石です。その石には血がついていました」関谷は抑揚のない口調で語った。「誰かが彼女の背後から忍び寄り、その石で頭を殴ったのだとわかりました。問題は、誰がそんなことをしたか、です。でもそこに残っていた足跡は、犯人が誰かをはっきりと示していました。いや――」彼は首を振った。「誰か、というのは正確じゃないな。どういう人間か、というべきかな。とにかくどうしていいかわからず、私は携帯電話で藤間さんを呼びました」

「実際の殺害現場はクヌギの木の下、でしたか」俊介は呟いた。

「呼ばれて現場に駆けつけた時には、さすがに途方に暮れました」藤間が苦笑を作っていった。「最初は混乱していたものですから、私もやっぱり警察に連絡するべきだと思ったんです。それ以外のことにはなかなか頭が回りませんでした。ところが関谷さんや津久見先生の話を聞くうちに、早計には判断できないと思い始めたんです」

「要するに犯人は子供だとわかってきたわけですね」

藤間は頷いた。その顔にもう笑いはなかった。

「靴の跡もそうでしたが、お二人の話を聞くと、それ以外には考えられなかった。あの時間、あの付近には人影など全くなかったそうです。おまけに高階さんの死体には、乱暴された跡も、何かを盗まれた形跡もなかった。到底信じられないことでしたが、私たちとしては、事実を受け入れるしかなかったんです」

「小学校六年の男の子といえば、案外力もある。高階さんは座っていたから、子供でも十分に力を込めて石を振り下ろせたでしょう。背後からこっそり忍び寄ったのでしょうから、高階さんは何も気づかないまま死んだんじゃないかな」関谷が淡々といった。

「彼等が大人よりもはるかに残酷だということも、我々は知っていますしね」

「それで死体を運ぶことにした、というわけですか」

「その時点では方針が決まっていたわけではありません。でも、とにかくこのままではまずいと思った。それで関谷さんに頼んで、車を使って死体を運ぶことにしたんです。もちろんその時には現場の足跡も消しましたし、高階さんの血痕もなるべく目立たないよう土をならしておきました」藤間はそういってからドアのほうに目を向けた。「死体を下ろす時になるべくよそから見えないようにと、車をバックして駐車場に止めてもらったんですが、まさかその違いに並木さんが気づくとは思いませんでした。しかも章太君の絵がヒントになるとは……」

「方針がはっきりと決まったのはいつですか」俊介は訊いた。

「死体を運び込む時には、もうぼんやりと決まっていたといえるでしょうね。何しろ、妻たちにも事情を話しておかねばなりませんでしたから」

「その時ここにいたのは……」

「うちと関谷御夫妻、それから美菜子さんと津久見先生です。君子さんもいたが、彼女は薬で眠り込んでいた。できれば秘密の共有者は少ないほうがいいと考え、君子さんを起こすのはやめました」

「で、死体をどこかに始末しようと決まったわけですね」

「そうです。それしかないと皆が同意しました。ところが、いざ実行に移そうとした時、予想外のことが起こりました」藤間は俊介をじっと見つめた。そしていった。「並木さん、あなたから電話がかかってきたのです。これから別荘に戻る、とね」

「あの電話はあなた方にとっては衝撃的だったわけだ」

「衝撃的でした。高階さんがあなたの恋人だということは、彼女と津久見先生の会話から窺い知っていましたから、到底我々の意見を聞き入れてもらえるとは思えなかった。しかしあなたが逆上して警察に知らせるようなことだけは、何としてでも防がねばならなかった。あなたがどんなに不本意であっても、事件の隠匿《いんとく》に協力せざるをえない状況を、どうにかして作り出せないものか。あなたがこちらに向かっている間、我々は脂汗と冷や汗を流しながら頭を捻っていたのですよ。そして、最終的にあの偽装工作を考え出したのは、美菜子さん自身でした」

俊介は妻のほうを見た。彼女はかすかに顔を上げ、ちらりと視線を夫に走らせた後、すぐにまた俯いた。

「妙案だと思いました。たとえ離婚するつもりだったとしても、現段階では並木さんだって奥さんが殺人犯になることは望まないはずです。しかも殺人の動機が愛人とのトラブルの果てとあれば、事件が公になることは御自身の社会的地位を失墜させることになる。死体遺棄に協力してもらうには、その方法しかないと思いました」

「それで死体を我々の部屋に運び、偽物の血痕までつけたわけだ」

「津久見先生に貸別荘まで戻ってもらい、絵の具を取ってきてもらいました。だけどさすがにちょっとやりすぎたようですね。完璧に拭き取っておかなかった一枚にも落ち度はありますが、あなたのことを甘く見ていたことは否めません」そこまでいうと藤間は突然立ち上がった。さらに俊介に向かって、深々と頭を下げた。「悪気はありませんでした。何としてでも事件を隠したかった末にやったことです。許していただこうとは思いませんが、せめて理解していただきたい」

彼に倣《なら》って関谷が、そしてそれぞれの妻が頭を下げた。

「あなた方の演技は見事でしたよ。すっかり騙されました。美菜子、君の芝居も」

俊介は妻にいったが、彼女は身じろぎ一つしなかった。

「凶器はどうしたんですか」彼は訊いた。「本当の現場に落ちていた石は？」

藤間がまた力のない笑みを浮かべた。

「死体と共に湖の底です。並木さん、あなたと一緒に沈めたじゃないですか」

「あの重しに使った石の中に……」

「あなたと関谷さんが死体をビニールシートに包んでいる間に、私は石を拾い集めるといったでしょ？　じつは私が一人で集めたんじゃないんです。あの時、津久見先生も外で活動中でした。凶器の石は、その時に紛れ込ませたんです」

「どうりで……。短時間のうちにたくさんの石が集められたものだと少し不思議だったんです」

「並木さんが見抜いたとおりですよ。あの時我々の行動の裏で、津久見先生がいろいろとバックアップをしてくださっていたんです。だからこそあれだけスムーズにことが運んだといえます」

「陰の功労者というわけだ」俊介はカウンターに歩み寄った。坂崎夫妻の背後に立った。

「お二人が今のような事情をお聞きになったのは、ここから出ていくといわれた時ですね。何とか引き留めようとした藤間さんから、説明があったのですか」

「子供が絡んでるとなれば仕方がありませんよ」坂崎はぼそりといった。「藤間さんからは、真相を知らない並木さんを騙すよういわれたので、ちょっと辛かったですが……」

「子供が絡んでる……ね」

俊介は部屋の中央に戻った。再度全員を見回し、最後に藤間のところで視線を止めた。

「大方の事情はわかりました。いろいろと意外な点もありましたが、僕が想像していたことさほど大差はないようです。ただ、あなた方の話には、最も大事なことが抜けています。それには敢《あ》えて触れないよう、慎重に話を進めてこられたきらいさえあります。でもその最も重要なことを聞かないままでは、僕としては納得のしようがない。僕が何のことをいっているのかは、もちろんおわかりですよね」

藤間はふうーっと息を吐いた。それと共に彼の肩は落ちた。

「わかっていますよ」

「では教えていただけますか。その大事な点を」俊介は声のトーンを上げた。「犯人が子供だということはわかりました。では四人のうちの誰なのですか。やはり僕が最初にいったように、彼等全員でやったことなのですか」

藤間は目頭を押さえた後、関谷夫妻、一枝、美菜子、そして坂崎夫妻へと視線を移していった。しかし誰も彼と目を合わせようとはしなかった。藤間の目は力を失ったまま俊介のところに戻ってきた。

「いいえ、全員ということはありません。犯人は一人です」

「一人……」

「それについては関谷さんの話が参考になるのですが……」藤間は関谷に水を向けた。

関谷は額を掻き、顔をしかめた。

「さっきもいいましたように、私は津久見先生よりも一足先にここを出て、高階さんとの待ち合わせ場所に行こうとしました。でも少し早かったので、貸別荘に寄りました。で、改めて向こうの別荘を出る時」ここで言葉を切り、関谷は深呼吸をひとつした。「靴箱に並んでいる子供たちの運動靴が、三足しかなかったんです。それはたしかです。でもその時はあまり深くは考えませんでした。ところが後で振り返ってみると、そのことが重要な意味を持ってくるんです」

「そうか」俊介は目を見張った。「英里子を殺したということは、その時点で貸別荘を出ていたはずだ。靴が三足残っていたということは、少なくとも三人は別荘に残っていたことになる」

「その犯人は」藤間がいった。「夕食後の私と関谷さん、それから津久見先生の会話を盗み聞きしたんでしょう。彼は突然現れた高階英里子という女性が邪魔者なのだと考え、殺すことにした。チャンスは待ち合わせ場所に津久見先生が現れる前しかない。時間を稼ぐためには、何とかして津久見先生を足止めしたい……」

「そうか」俊介は手を打った。「それで靴の片方が……」

「あれはその犯人の仕業だったんですよ。津久見先生がここを出るのを少しでも遅らせるための、ね」

俊介は頭に手をやっていた。髪の上からくしゃくしゃと掻きむしった。「何てことだ。子供がそこまで……」

「関谷さんもおっしゃったでしょう。彼等は大人よりもはるかに残酷なんです。しかも計算高い。何か行動を起こす時でも、大人よりもはるかに冷徹に計画を練るんです」肩を落としたまま藤間はいった。

「それで？」俊介は床を見つめたままいった。「犯人は誰なんですか。いい加減に教えてください。四人の子供の中の誰が英里子を殺したんですか」

彼の声はしばらく室内で反響した。誰もが沈黙してしまったからだ。藤間さえも苦しげに下を向いている。

「藤間さん」俊介は呼びかけた。

藤間はゆっくりとかぶりを振った。「わかりません」

「えっ？」

「わからないんですよ、本当に。犯人は四人の子供たちの中の誰かでしょう。でも誰かはわからない。ここにいる親たちの誰の子供が犯人なのかは不明なんです」

4

俊介は茫然《ぼうぜん》と立ち尽くしていた。それから瞬きし、口を何度か開け閉めした。やがて彼は自分の妻に訊いた。「そうなのか？」

彼女はこっくりと頷いた。全身から力が抜けてしまっているようだった。

「いや、しかし、それでは」俊介は吃《ども》っていった。「あなた方は誰のことを庇っているのか、自覚しておられないということになる。犯人がわからないのに、事件を隠匿する必要があるんですか」

「犯人はわかっていますよ」藤間がいった。「子供です。我々の子供たちの誰かです」

「誰かはわからなくていいというんですか。誰であっても庇うということですか。それほどあなた方の結束は」そこまでしゃべったところで俊介は言葉を切った。彼は声を出さぬまま口を大きく開けた。息も吸い込んだ。その状態で皆を見回した。彼を取り囲む人々は悲しげに彼を見つめていた。

はあーっと彼は息を吐き出した。

「そういうことか。なるほど、そういうことだったんですか」

「我々の気持ちがわかっていただけましたか」藤間が訊いてきた。

「あなたたちは自分の子供が信用できないというんですね。自分の子供が真犯人かもしれないと疑っておられるわけだ。だからそれを明らかにはしたくないし、明らかにされなくても、事件隠匿には力を惜しまないというわけですか」

俊介は美菜子の前で腰を曲げ、彼女の両肩を摑んで前後に揺さぶった。

「君もそうなのか。章太が信用できないというのか。あいつが人殺しをしたかもしれないと思っているのか」

彼女の黒い瞳が動き、夫を捉えた。

「あたしが章太を信用しないと思う？」

「だったら」

「でも」彼女はいった。「あたし以外の人もそうなのよ。みんな自分の子供を信じてる。まさかそんな馬鹿なことをするわけがないと思っている。だけど、この中の誰かのそういう信念は裏切られているの。その誰かが自分じゃないと、あたしにいいきれると思う？」

「だけど……わかるだろ、自分の息子が犯人かどうかぐらいは」

すると美菜子は憐《あわ》れむように夫を見つめ、かすかに微笑んだ。

「わかっているつもりよ。でも、それはここにいる人全員がそうなの。あなたの主張はよくわかる。だけど、事実は動かせない。ここまできたら、もうロシアンルーレットと同じ。誰かに必ず弾《たま》が当たる。その確率は全員同じなの」

「だから、弾がどこに入っているのかを確かめるのはやめよう、というわけか」俊介は首を振った。「俺には理解できない」

「理解できないでしょうね、あなたには。最初からそう思ってた」

「どうしてそう思う？　章太は俺の本当の子供じゃないからか」

美菜子は瞼を閉じた。それをゆっくり開けてから唇を動かした。「そうよ」

ふっと吐息をつき、俊介は横を向いた。

「先程私は正確でないことをいいました」藤間がいった。「高階さんはあなたの愛人だから、あなたは協力してくれないだろうと思ったといいました。じつはそれだけじゃありません。本当のことを話しても、おそらくあなたには我々の心情は理解できないだろうと思ったんです。あなたはきっと、犯人を明らかにすべきだと主張するだろうと予想したのです」

俊介はまた首を振った。顔をこすり、頭を抱えた。

「とてもわからない。もしも四分の一の確率で自分の息子が犯人だと判明したなら、そこで改めて事件を隠すなり何なりの工作をしようと考えるのがふつうじゃないですか」

「判明したら、もう遅いんですよ、並木さん」藤間一枝が静かにいった。「自分の息子が犯人じゃないとわかったら、誰も犯罪に手を貸したりしません。わからないから、命がけで力を合わせるんですよ」彼女の低い声はやけに響いた。

俊介は立ち上がった。頭を振り続けていた。入り口のドアに近づき、振り返った。

「もう一度いいます。僕には理解できない。とてもついていけない。残念ですが、皆さんの期待に応えるわけにはいきません」

そんな、といって関谷が席を立った。しかし彼の腕を藤間が摑んだ。

「今ここで並木さんに無理強いしても無意味だ。鉄の結束でなきゃ、今度のことは乗り切れない。それは最初からいってたことじゃないか」

「だけど……」関谷はそういったきり俯いた。

「どうぞ、並木さん」藤間が掌を差し出した。「御自分の判断で行動されればいいと思います。私たちはもういうべきことはいいました。後はお任せします」

「僕は警察に行くつもりです」

するとと藤間はぐっと顎を引いてから頷いた。「それも仕方がないでしょう」

「失礼します」俊介は部屋を出た。

5

自分たちに与えられた部屋に戻っても、俊介はすぐには動かなかった。ベッドに腰掛けたまま、しばらくじっとしていた。

ドアが音もなく開いた。美菜子が入ってきて、後ろ手で閉めた。

俊介はちらりと妻を見ただけで、無言で腰を上げるとバッグに荷物を詰め始めた。

「あたしを……あたしたちを軽蔑《けいべつ》する？」呻くように妻は訊いた。

夫は手を止めることなく首を振った。「わからんよ、俺には」

「そう……そうかもしれないわね」

「なぜ確固たる信念が持てないんだ。子供を信じようとしない？　章太がそんなことをすると思うか。たかが受験程度のことで、人殺しをすると思うか。そんなこと、考えなくてもわかると思うけどな」そういってから彼は力なく手を振った。「でもこんなことをいくらいっても無意味なんだったな。すべての親が子供を信じていても、必ずその中の誰かは裏切られているわけだから」

「みんな負い目があるのよ」

「負い目？　どういうことだ」

美菜子はベッドに腰掛け、自分の肩を揉むようなしぐさをした。

「さっきの藤間さんたちの話だけど、ちょっとだけ嘘がある」

「どの部分だ」

「試験問題漏洩の見返りに関して……よ」

「見返りって、カネのことだろ」

「お金のほかに、よ」

「カネ以外に何かあるのか」そういってから俊介は振り返り、目を見開いた。

美菜子はじっと床を見つめている。

「まさか……」彼はいい淀んだ。

「その、まさか、よ」俯いたまま美菜子は続けた。「試験問題漏洩に関わっている職員は一人じゃないの。責任者も含めて三人いる。女性が一人、あとの二人は男性。いうまでもなく実権を握っているのは男たち」

「その男たちに？」

「そう」美菜子は頷いた。「受験生の母親たちが身体を提供するのよ。それがいわば契約書代わりになるの」

「津久見がその斡旋をしているのか」

「強制はされない。でも仄《ほの》めかされる。契約を交わしておかないと、土壇場《どたんば》でどうなるかわからないといって脅される」

「あいつめ」

「津久見さんは先方の指示にしたがってるだけよ。好きこのんでやってるわけじゃないでしょ」

「君も」俊介は唾を飲み込んだ。「契約を交わしたのか」

美菜子はゆっくりと首を振った。「あたしはまだ」

「まだ？」

「決心がつかないのよ。正直いうと試験問題は手に入れたい。そのためにはお金だって払う気だった。勘違いしないでね。あたしがあなたとの結婚前に貯めたお金があるのよ。あなたに金銭的な迷惑をかけるつもりはなかった。でも身体を要求されるとなると、さすがに二の足を踏んじゃう」

「それが正常だと思うよ。じゃあ、保留状態というわけか」

彼女は頷いた。「でもそろそろ返事しなきゃいけない」

俊介は口を開け、大きく息を吸った。

「あのコンドームはそのためのものか。身体を提供すると決めたのか」

「決めたわけじゃない。まだ迷ってる。迷ってた、といったほうがいいかな。あたしとしてはぎりぎりのところで決断したかった。コンドームを持っているから、万一そういうことをしても妊娠の心配はない。その上でやっぱり躊躇いを感じたらやめよう、そう思ったのよ」

「何てことだ」俊介は額に手を当てた。「狂ってるとしかいいようがない」

「そうよね。狂ってるわよね、あたしたち。たかが受験に、大金を投げ出すだけならまだしも、妻の身体まで提供しようっていうんだから」美菜子の声はわずかに笑いを含んでいた。しかし震えてもいた。

「ちょっと待てよ。じゃあ、下にいる連中の奥さんたちは……」

「はっきりしたことは訊いたことがないし、本人たちもいわないけど、たぶん契約済みなんだと思う。少なくとも一枝さんと靖子は」

俊介は唸った。

「本人もそうだけど、旦那たちは一体どういう神経をしているんだ」

「あの人たちは一応……」美菜子は小さく首を傾げた。「知らないってことになっているんじゃないかな」

「どういうことだ」

「この試験問題の裏入手の件では、いつも受験生の母親が呼ばれるのよ。で、津久見先生の仲立ちで、母親が修文館中学の職員と会うわけ。取引についてはその場で話し合われるし、さっきいった契約のことも、そこで仄めかされる。その時に、旦那さんには内緒にしておいたほうがいいという親切なアドバイスまでいただくのよ」

「だから旦那たちは知らない、というわけか」

「一応はね」美菜子は唇だけで笑った。「だけど本当は知っている。隠しきれることじゃないもの。夫婦の間でその話はしない、という暗黙の了解ができているということよ」

「そうだろうな」

「さっき、英里子さんが持っていた写真に、金銭授受の場面を写したものがあった、という話が出たでしょう？　あれはちょっと違うのよ。実際には、契約を交わした証拠写真、ということになるかな」

「契約の？　ははあ……」俊介は二度三度と首を縦に振った。「奥様方が修文館中学の職員に連れられてラブホテルに入るところを撮られたわけだ。なるほどな、それでわかった。金銭を受け渡すところなんて、そう簡単に撮影できるとは思えなかったんだ」

「そんな写真があると知って、藤間さんも関谷さんもあわてたのよ」

「そりゃそうだろうな。それにしても何度もいうようだけど、自分の女房を差し出すなんて真似、どうしてできるんだ。どうして平気な顔をしていられるんだ」

「あなたならどう？」美菜子は訊いた。「あたしがそういうことをしたら、やっぱり平気じゃない？」

「それは――」続きをいいかけて俊介は妻を睨んだ。「どういう意味だ」

「あたしのことなんかどうでもいいんじゃないかなと思って。だって」彼女は夫を上目遣いで見た。「あたしが浮気をしてくれていたらいいと思ってたんでしょ。堂々と離婚できるから」

俊介は答えず、はーっと息を吐いてそばの椅子に座った。

「どこだって同じよ。子供が六年生ぐらいになる頃には、夫婦の愛なんて結構冷めてる。でも藤間さんにしても関谷さんにしても離婚したいと思ってるわけじゃないから、やっぱり奥さんがそういうことをすることには抵抗があったと思う。平気なわけない。終わった後もいろいろなわだかまりがあるんだと思う。それであの人たちはそうした苦しみから逃れるために、逃げ道を作りだしたの。何だと思う？」

俊介は首を振った。

「自由恋愛よ」彼女はいった。「夫婦の絆はそのままに、それぞれが男と女として生きることを認めようとしている。ふふ、こんなふうにいうと聞こえはいいけど、要するに毒を食《くら》わば皿までというわけで、互いの浮気に目をつぶることにしたのよ」

「それで関谷と一枝さんが庭でいちゃついたりしてたわけか。それを見ているはずなのに藤間や靖子さんが何もいわなかったのもわかる。というか、あっちはあっちでよろしくやっていたのかもしれない」

「藤間さんは」美菜子は真顔に戻っていった。「合法ドラッグを入手するルートを持っているんですって。それを使って、あの二組の夫婦は時々パーティをしているそうよ」

「パーティ？」俊介は膝を叩いた。「そういえば坂崎が何かいってたな。藤間はカラオケパーティのことだとごまかしてたが」

「坂崎さんは最近仲間に加わったのよ。今回の旅行でも、チャンスがあればドラッグパーティをしたいと思ってたみたい」

俊介は立ち上がり、頭を振りながら歩き回った。

「尋常じゃない。子供の見ていないところで、親は薬に溺《おぼ》れてたってわけか。そういえば君子さんが、あの人たちは異常だといっていたが、そのことだったんだな」

「君子さんはみんなを軽蔑してるわ。ただ、息子の拓也君は一番成績がよくないから、どうしようかと思って悩んでる。坂崎さんがあちこちで浮気をしてることは知ってるから、自分だって義理立てする必要はないとは思ってる。でも彼女、自分の身体のこともあって、踏ん切りがつかないのよ。手術以来、夫婦生活は全くないという話だし」

俊介はお手上げのポーズをした。それからバッグに向き直り、片づけの続きを始めた。

「あなた……」

「もうわかったよ。何度もいうが、君たちは狂っている」

俊介はバッグのファスナーを閉じ、腕時計を手首に巻いた。

「そうよ」美菜子が静かにいった。「あたしたちは狂っている。自覚してなかったわけじゃないけど、受験が終わるまではどんなことも仕方がないと思って目をそらしてきた。でも結局、自分で自分の首を絞めていたのよ」

俊介は妻の顔を見た。彼女の目からは涙が流れていた。

「誰が犯人なのか、あたしたちにはわからない。自分たちのしてきたことを考えると、子供たちに悪い影響を与えていないはずがないと思うから。英里子さんがあたしたちの秘密に気づいて、証拠まで揃えていたということは、あたしたちにとって命取りよ。もし彼女が殺されるよりも先にそのことを聞いていたら、あたしだって彼女にはこの世から消えてもらいたいと思ったでしょう。だからそれと同じことを章太が考えないとは、あたしにはいえないの。あたしたちは子供たちを信用できるほど、自分たちに自信がないのよ」

俊介はかぶりを振り、バッグを持った。

「好きにするがいいさ。でも俺は君たちには付き合えない」

彼は部屋を横切り、ドアノブに手をかけた。だがそれを引く前に後ろを振り返った。

美菜子が鋏《はさみ》を手にして立っていた。その先端は鋭く尖り、銀色に光っていた。

俊介は身構えた。「それで俺を刺したいのか」

「どうしていいのかわからない。でもあなたを行かせるとみんなが不幸になる」

「今は不幸じゃないというのか」

「もし警察に行くつもりなら」美菜子は泣きながらいった。「英里子さんを殺したのはあたしだといって。本当のことはいわないで」

俊介は吐息をついた。

「そんなこと、できるはずがないだろう。警察が動けば、嘘なんかつけなくなる。ついたって、すぐに見破られるさ」

「章太を助けたいの」

「あいつが犯人だと決まったわけじゃない。四分の一の確率なんだろ。いずれにせよ」俊介はドアを開けた。妻の持つ鋏の先端を見つめながら廊下に出た。「俺は本当のことしかいえないし、いわないよ」

ドアを閉め、階段を下りた。玄関には誰もおらず、彼が靴を履いている時も、誰も姿を見せなかった。

美菜子の泣き声が上から聞こえてきた。

外は真っ暗だった。俊介は車に乗り込んだ。シートの感触がいつもと少し違う。しかし構わず発進した。

別荘地を出てしばらく走ったところで彼は車を路肩に寄せて止めた。ルームライトをつけ、身体をずらしてシートの背もたれを見た。

丸く削った木に紐を通したものが、そこには掛けてあった。彼はもう一度シートにもたれた。両肩と腰に、その木の部分が当たるようになっているのだった。さらに助手席に、U字形に曲がった孫の手のようなものが置いてあった。一方の先には丸い木が付けられ、もう一方にはラケットのグリップテープが巻いてあった。俊介はそれを持って少し眺めた後、肩に担ぐようにしてみた。先端の丸い木は、背中のいつも彼が痛みを訴える位置に、見事に当たっていた。

俊介は二つの奇妙な工作物をしばらく見つめていた。やがて彼はルームライトを消し、車を発進させた。空き地を利用し、方向転換した。

再び別荘地に戻ると、藤間の別荘を素通りし、貸別荘のそばに車を止めた。そして先程の二つの工作物を持って、下りていった。別荘の二階の明かりはついている。彼は玄関のベルを鳴らした。

間もなくドアが開いた。ドアチェーンの向こうに、坂崎拓也の顔があった。「あっ、章太君のお父さん……」

「こんばんは」俊介は笑いかけた。「章太を呼んでくれないかな」

はい、と答えて拓也は顔をひっこめた。

少しすると再びドアが開いた。今度はチェーンはついていない。章太が立っていた。

「なに？」戸惑った顔をしている。

「これ、章太が作ってくれたのか」

二つの工作物を見せると少年はにっこりした。「どうだった？」

「ばっちりだ」俊介も笑った。「背中や腰のツボにばっちり当たる。運転しながらマッサージできるよ」

「お父さんいつも、背中とか腰とか痛いっていうからさ」章太は恥ずかしそうに俯いた。

「ありがとう。でもよく寸法がわかったな」

「昼間、計ったんだよ」

「昼間？」そういってから俊介は大きく頷いた。「背中に虫がついてるとかいった時か」

うん、と章太は答えた。

「そうか。全然気がつかなかったなあ。ありがとう、使わせてもらうよ」

「それをいうために、わざわざ来たの？」

「ああ。それだけだ。おやすみ」

彼が別荘を出ようとすると、「お父さん」と章太が呼びかけてきた。

「なんだ？」

「あのさ……帰る時は、僕やおかあさんと一緒なんでしょ？　帰りは別々じゃないんでしょ？」

俊介は義理の息子の顔を凝視した。少年の顔は笑っていなかった。問い詰める目をしていた。

「ああ」俊介は顎を引いた。「そのつもりだ」

「よかった」少年の顔に笑みが戻った。

貸別荘を出て車に乗り込んだ後も、俊介はしばらくエンジンをかけなかった。じっと闇に目を向けていた。十分以上そうした後、ようやくエンジンキーを回した。

だが今度は藤間の別荘を素通りはしなかった。彼は車を駐車場に止め、階段を下りていった。

すると玄関の前に誰かが立っていた。美菜子だった。

「何してるんだ」

彼女の胸が大きく上下した。

「たった今、あの子から電話があったの。お父さんが来てくれたって」

「それで？」

「もしかしたら……帰ってきてくれるかもしれないと思って」

「……そうか」俊介はバッグを足元に置き、髪を後ろに掻きあげた。「英里子を殺したのは、章太かもしれないな」

えっ、と美菜子は彼を見上げた。目が大きく開かれている。「どうして？」

「俺は忘れていたよ。君たちがいうような複雑な動機じゃなく、もっと簡単な動機が章太にはあるってことを」俊介は妻の目を見ていった。「父親を愛人の手から取り戻すっていう動機だ」

美菜子が、あっと声を漏らした。

「俺も同罪だ」俊介はいった。「もし章太がやったのだとしても、それは俺がやらせたようなものだ。だからあいつの人生に傷がつくようなことは絶対に防がなければならない」

「あなた……」

「でも覚悟がいるな」彼は妻の肩に手をかけた。「相当な覚悟がいる。死体が湖の底から完全に消え去るには何年も、いや何十年もかかるだろう。その間、俺たちはずっとびくびくしていなければならない。たとえ死体がなくなったとしても、俺たちの魂はこの湖畔から離れられないんだ」

「わかってる」

妻は小さく呟くと、夫の背中に手を回してきた。

解説

千街晶之

最近、東野圭吾の小説の映画化やTVドラマ化が相次いでいる。ちょうど本書が刊行される頃は、連続ドラマ『白夜行』（TBS系、山田孝之・綾瀬はるか主演）が放映されている真っ最中だろう。

あるキャラクターを主人公とするシリーズが相次いで映像化される例は少なくないが、東野作品の映像化の場合は、原作に登場するキャラクターの人気に頼ったものではない（二〇〇一年にNHK総合で放映されたドラマ版『悪意』が、原作の探偵役である加賀恭一郎刑事の存在を抜きにしても成立していたことがその傍証だろう）。意外性に富んだ展開や深みのある人間ドラマなどの要素が、多くの観客（視聴者）を引き寄せているのである。

本書『レイクサイド』も、二〇〇五年、『レイクサイド　マーダーケース』という題名で、青山真治監督により映画化されている。役所広司・薬師丸ひろ子・豊川悦司・柄本明ら実力派たちの演技は見応えがあったけれども、ストーリー展開はかなり駆け足で原作のダイジェストのような印象は否めず、伏線の省略や奇矯な設定の追加などもあり、全面的に褒められるような仕上がりとは言い難かった。しかし、原作小説である本書がそもそも映像化に不向きだった——ということでは全くなく、むしろ映像化・演劇化などの企画に極めて適したミステリである。その意味で、本書の映画化に挑んだ制作サイドの発想自体は正しかった。

私も本書を最初に読んだ時に、演劇的な話だという印象を受けた記憶があるが、今思い返せば、その時は舞台設定や登場人物が限定されているから、そのように感じたに過ぎなかった。本書がより本質的な意味で演劇的であると気づいたのは、再び読み返した時である。

本書は、《週刊小説》一九九七年二月七日号から九月五日号にかけて連載された『もう殺人の森へは行かない』をもとに、二〇〇二年三月に実業之日本社から書き下ろしで刊行されたものである。二〇〇四年十二月には、映画化に合わせたソフトカヴァーの新装本も同社から出ている。

姫神湖畔の閑静な避暑地にある別荘で、名門私立中学受験のための勉強合宿が行なわれていた。参加者は、四人の小学生、その親たち、そして講師の津久見。少年たちの一人・並木章太の母親である美菜子や、他の少年の両親は、人生に勝ち抜くためには苛酷な受験勉強も必要であり、そのお膳立てを整えてやるのは親の務めであると主張するが、美菜子の夫・俊介だけは、子供の未来のレールを親が勝手に敷くことに違和感を覚えている。そこに、俊介の部下の高階英里子が、忘れ物を届けにきたという名目で来訪する。俊介は最近美菜子とうまく行っておらず、英里子と愛人関係を結んでいた。並木夫婦と英里子のみならず、他の夫婦の関係も微妙な緊張を帯びている。

その夜、わけあっていったん別荘を出たものの、急に戻ることになった俊介が見たものは、自分たち夫婦にあてがわれた部屋に転がる英里子の死体。しかも、彼女を殺したと告白したのは妻の美菜子だった。英里子から俊介と別れるよう迫られ、しかもその時に息子の章太の名前を出されたので、ついカッとなって殴り殺してしまったのだという。最初、俊介は妻に自首を勧めるが、その場にいた他の親たちは、事件そのものをなかったことにするのが最善であると主張する。結局、彼らの説得に押し切られ、俊介は英里子の死体を自ら湖に沈めることになる……。

こう紹介すると、「いくら自分の妻が犯した罪といっても、常識ある大人がそんなに簡単に、殺人などという重大犯罪の隠蔽を引き受けるものだろうか」と思う読者も出てきそうだが、そこに抜かりはない。

本書には並木家・藤間家・関谷家・坂崎家という四家族が登場するが、並木家だけは父親と息子のあいだに血の繋がりがない。章太は美菜子の前夫の子であり、俊介からすると疎ましいというほどではないにせよ、どこか距離感のある存在である。俊介が英里子との浮気に走ったのも、章太の存在が夫婦間の鎹《かすがい》になり得なかったからかも知れない。

そんな俊介を、美菜子はしばしば、実の息子ではないから章太を大事に思っていないのだと詰《なじ》る。俊介は彼女の指摘を否定しきれないものが自分の中にあることに思い当たっているようだ。その引け目のせいで、彼は子供との血の繋がりという特権性を誇示する他家の親たちに逆らえず、「今度のことが明るみに出れば、たぶん我々の私生活もマスコミに荒らされることになるでしょうね。そうなれば、それこそ子供の受験どころじゃなくなる。社会的なダメージを受けるのは並木さんだけじゃなくなるということです」という藤間の説得に屈せざるを得なくなる。俊介が事後従犯という危険な行為を引き受けるに至る布石は、物語が始まった時点から着々と打たれているのだ。

本書の前半は、藤間が中心となって考えた隠蔽工作を軸に、倒叙ミステリ的なストーリーが展開される。英里子が殺されたことを知っているのは、合宿の参加者のうち、並木夫妻・藤間夫妻・関谷夫妻の六人のみ。他の参加者たちに気づかれぬよう、どうやって事件を完璧に隠蔽するのか――というスリルが前半の読みどころである。

しかし、サスペンスにばかり気を取られていては、そこかしこに配された伏線を見逃しかねない。俊介が、合宿の参加者たちの言動に不自然さを感じ、中盤から謎を追う探偵役に転じるように、読者もまた、注意深く読んでいれば、この事件が決して見せかけ通りではないということを悟る筈である。複数の人間による犯罪隠蔽計画を描いた倒叙ミステリが、やがて別種の物語へと転じてゆく作品といえば、夏樹静子の名作『Wの悲劇』が想起されるけれども（余談だが、映画『レイクサイド　マーダーケース』で美菜子役に薬師丸ひろ子が選ばれたのは、制作サイドの念頭に、本書と『Wの悲劇』との構想の類似性があったからではないだろうか。薬師丸扮する美菜子が夫に犯行を告白するシーンは、映画版『Wの悲劇』の、薬師丸が「私、お祖父さまを刺し殺してしまった」と叫ぶ有名なシーンを明らかにトレースしているのだから）、本書の構造はより複雑である。勘のいい読者なら真相の一部にまでは気づくであろうことをあらかじめ計算した上で、そんな相手をも翻弄してみせるという自信が感じられる。

伏線もさることながら、本書で最も周到に考え抜かれているのは実は語り口である。本書は三人称で記述されているが、幾つかの短い場面を除き、ほぼ俊介の言動が記述の中心となっている。だから読者は、この小説が彼の視点をなぞっているものとつい錯覚してしまうかも知れない。

しかし、俊介の動きがメインだからといって、それが彼の視点であるとは限らない。よく読めば、この小説には登場人物の内面描写というものが一切存在しないのだ。登場人物の心の動きらしきものは、眉を顰《ひそ》めたり首を傾げたり瞬きをしたり——といった表情の変化の説明などで一応表現されてはいるけれども、殆どすべての登場人物が何らかの演技をしているこの小説にあっては、表情や動作がそのまま内心の正直な吐露であるという保証はどこにもない。そして驚くべきことに、この小説には主人公である俊介の内面描写すらない。彼の心の動きは、他の登場人物の場合と同様、あくまでも外面的な言葉や行動からのみ推察可能である。そう、本書は俊介の視点から描かれているのではなく、俊介を含む全員の言動が、完全に客観的な視点から公平に描かれているのである。

登場人物の内面描写を排したことには、ミステリとして二つのメリットがあったと考えられる。第一は、探偵役である俊介がどの段階で真相に到達したかを伏せておくというメリット。つまり、もし俊介の内面を描くのであれば、彼の感じた違和感や、推理の過程や、真相に思い至った時の驚きなどにまで言及しなければ不自然になってしまう筈である。だが、そこまで具体的に描いてしまえば、読者も簡単に真相に到達してしまうだろう（特に本書の場合、俊介が最初に微かな疑惑を抱いたのはかなり早い段階だったと思われる）。著者としては、それは避けたかったに違いない。その代わり、俊介が目にしたものや耳にしたことは、すべて読者にもフェアに知らされることになっている。さりげない情報、他の登場人物の言動に混じる違和感、そういったものを正確に組み合わせて行けば、読者も俊介と同じ結論に到達出来る筈である。著者は『どちらかが彼女を殺した』や『私が彼を殺した』で、敢えて真相を伏せておくことで読者に推理させるような試みを行なっているが、それらとは少し違う意味で、本書もまた読者を甘やかさないミステリとして構想されていると言えよう。

第二のメリットは、事件関係者たちの嘘と本音の境目が奈辺にあるかを見破れないようにするためである。坂口安吾の『不連続殺人事件』を代表格として、通常の価値観に収まりきらない奇人変人ばかりの人間関係が、真相を盲点に隠すミスディレクションとして作用するような本格ミステリは数多い。本書の登場人物たちは奇人変人とまでは行かないものの、保身と同情のために殺人すら隠蔽するような考え方の持ち主ばかりであるという点は、それらのミステリと同様である。彼らの価値観は、偏ってはいても完全に間違いとも言い切れないところがあり、次第に読者の常識も麻痺してゆくように書かれている。だが、内面が描かれていないということは、彼らのうち何人が本心からそんな価値観を信奉しているのか判断出来ないということでもある。その曖昧さが俊介のみならず、読者の眼からも真相を遠ざける働きをしている。

私がこの解説の冒頭で、本書が演劇的な作品であると書いたのも、そのあたりに理由がある。内面描写が比較的自由な小説と違い、演劇や映像では、登場人物の内面は台詞や動作などから察するしかない（独白という手はあるが）。本書は、登場人物の内面に直接アクセスすることが困難な演劇の手法を取り入れることで、仕掛けを成就させてみせたミステリなのである。ここでは他の作品群にまで触れる余裕はないが、主役の男女二人の内面がブラックホール化している『白夜行』を代表例として、著者がしばしば、特定の人物の内面描写を封印することで多彩な効果を演出していることは指摘しておきたい。

最初は妻が愛人を殺したというとんでもない事態に我を失い、周囲の人間の言うがままに動いてしまった俊介は、やがて事件に不自然さを嗅ぎつけるとともに、自分がなすべきことに目覚めてゆく。つまり本書では、主人公の探偵行為が、同時に自己回復の過程にもなっている。客観的に見て頼り甲斐があるとも人格的に誠実であるとも言い難い人物である俊介が、孤立無援の中、自力で真相に辿りつくプロセスからは、一種の爽快感を覚えるだろう。ところが、単純なカタルシスで終わらないのが、この小説の一筋縄では行かないところである。

事件の背後に隠された秘密を探りはじめた俊介は、最後にひとつの結論に達するのだが、それは同時に、ある苦い選択を強いられることでもある。この選択の是非については、読者の立場や考え方によって意見が異なるだろう。

本書に限った話ではなく、著者の小説ではしばしば、主人公（またはそれに準ずる立場の人物）が、何らかの選択を迫られる。そしてそこにあるのはいずれも、読者によっては正反対の結論が出るような際どい選択肢である。

例えば、著者の近作『容疑者Xの献身』については、ミステリとして優れていることは多くの読者が認めるところだろう。しかし、ラストで描かれる探偵役・湯川学のある行動については、否定的な意見もよく耳にする（かくいう私自身もちょっと引っかかるものを感じたくちだが）。そういった意見が出るのも考えてみれば当然で、誰もが同じような結論しか出さないような選択など、所詮は大した選択ではないのだ。正しい結論を容易に出せない難題に、それでも答えを出さなければならない厳しい立場に置かれた登場人物に、読者は他人事とは思えない共感を覚えるのではないだろうか。

「俺たちの魂はこの湖畔から離れられない」というラストの俊介の述懐と同様、私たち読者も、この小説が問いかけてくるものを忘れ去ることは難しいに違いない。

（ミステリ評論家）

単行本　二〇〇二年三月　実業之日本社刊
新装版　二〇〇四年十二月　〃

本書は「週刊小説」一九九七年二月七日号から九月五日号まで連載された「もう殺人の森へは行かない」を下敷きに新たに書き下ろされたものです。

文春文庫

レイクサイド

定価はカバーに
表示してあります

2006年2月10日　第1刷
2007年10月30日　第11刷

著　者　東《ひがし》野《の》圭《けい》吾《ご》
発行者　村上和宏
発行所　株式会社 文藝春秋
東京都千代田区紀尾井町 3-23　〒102-8008
TEL 03・3265・1211
文藝春秋ホームページ　http://www.bunshun.co.jp
文春ウェブ文庫　http://www.bunshunplaza.com
落丁、乱丁本は、お手数ですが小社製作部宛お送り下さい。送料小社負担でお取替致します。

印刷・凸版印刷　製本・加藤製本
Printed in Japan
ISBN4-16-711010-5

文春文庫

東野圭吾の本

（　）内は解説者。品切の節はご容赦下さい。

秘密　東野圭吾

妻と娘を乗せたバスが崖から転落。妻の葬儀の夜、意識を取り戻した娘の体に宿っていたのは、死んだ筈の妻だった。推理作家協会賞受賞のロングセラー。（広末涼子・皆川博子）

ひ-13-1

探偵ガリレオ　東野圭吾

突然、燃え上がる若者の頭、心臓だけ腐った死体、幽体離脱した少年。奇怪な事件を携えて刑事は友人の大学助教授を訪れる。天才科学者が常識を超えた謎に挑む連作ミステリー。（佐野史郎）

ひ-13-2

予知夢　東野圭吾

十六歳の少女の部屋に男が侵入し、母親が猟銃を発砲。逮捕された男は、少女と結ばれる夢を十七年前に見たという。天才物理学者が事件を解明する、人気連作ミステリー第二弾。（三橋暁）

ひ-13-3

片想い　東野圭吾

哲朗は、十年ぶりに大学の部活の元マネージャー・美月と再会。彼女が性同一性障害で、現在、男として暮らしていると告白される。しかし、美月は他にも秘密を抱えていた。（吉野仁）

ひ-13-4

レイクサイド　東野圭吾

中学受験合宿のため湖畔の別荘に集った四組の家族。夫の愛人が殺され妻が犯行を告白、死体を湖に沈め事件を葬り去ろうとするが……。人間の狂気を描いた傑作ミステリー。（千街晶之）

ひ-13-5

手紙　東野圭吾

兄は強盗殺人の罪で服役中。弟のもとには月に一度、獄中から手紙が届く。だが、弟が幸せを摑もうとするたび苛酷な運命が立ちはだかる。爆発的ヒットを記録したベストセラー。（井上夢人）

ひ-13-6

（ ）内は解説者。品切の節はご容赦下さい。

横山秀夫 動機

三十冊の警察手帳が紛失した――。犯人は内部か外部か。日本推理作家協会賞を受賞した迫真の表題作他、女子高生殺しの前科を持つ男の苦悩を描く「逆転の夏」など全四篇。（香山二三郎）

よ-18-2

横山秀夫 クライマーズ・ハイ

日航機墜落事故が地元新聞社を襲った。衝立岩登攀を予定していた遊軍記者が全権デスクに任命される。組織、仕事、家族、人生の岐路に立たされた男の決断。渾身の感動傑作。（後藤正治）

よ-18-3

連城三紀彦 暗色コメディ

もう一人の自分。一瞬にして消えたトラック。自分の死に気づかない男。別人にすり替わった妻。四つの狂気が織りなす幻想のタペストリー。本格ミステリの最高傑作！（有栖川有栖）

れ-1-14

連城三紀彦 嘘は罪

「あなた、この着物要らない？」――親友の言葉には続きがあった。表題作ほか、からみあう愛と憎悪の中で、予期せぬ結末が待つ十二の物語。あなたもだまされます。（香山二三郎）

れ-1-15

若竹七海 依頼人は死んだ

婚約者の自殺に苦しむみのり。受けていないガン検診の結果通知に当惑するまどか。決して手加減をしない女探偵・葉村晶に持ちこまれる事件の真相は少し切なく、少し怖い。（重里徹也）

わ-10-1

若竹七海 悪いうさぎ

家出した女子高生ミチルを連れ戻す仕事を引き受けたわたしはミチルの友人の少女たちが次々に行方不明になっていると知って調査を始める。好評の女探偵・葉村晶シリーズ、待望の長篇。

わ-10-2

（　）内は解説者。品切の節はご容赦下さい。

西澤保彦
黄金色《きんいろ》の祈り
他人の目を気にし、人をうらやみ、成功することばかり考えている「僕」は、人生の一発逆転を狙って作家になるが……。作者の実人生を思わせる、異色の青春ミステリ小説。（小野不由美）
に-13-1

西澤保彦
神のロジック　人間《ひと》のマジック
ここはどこ？　誰が、なぜ？　世界中から集められ、謎の〈学校〉に幽閉されたぼくたちは、真相をもとめて立ちあがった。驚愕と感嘆！　世界を震撼させた傑作ミステリー。（諸岡卓真）
に-13-2

楡周平
無限連鎖
全米各地で再び同時多発テロが起きた直後、今度はセレベス海で日本のタンカーが乗っ取られる。爆薬を積んだ船は東京湾へ。刻一刻と近づく危機に、日米首脳の決断は——。（郷原宏）
に-14-1

二階堂黎人《れいと》
猪苗代マジック
猪苗代の高級スキー・リゾートで十年前と同じ手口の連続殺人が発生。だが、十年前の犯人はすでに死刑になっていた。狡猾な模倣犯と名探偵・水乃サトルの息詰まる頭脳戦！（羽住典子）
に-16-1

貫井徳郎
神のふたつの貌《かお》
牧師の息子に生まれた少年の無垢な魂は、一途に神の存在を求めた。だが、それは恐ろしい悲劇をもたらすことに……。三幕の殺人劇の果てに明かされる驚くべき真相とは？（鷹城宏）
ぬ-1-1

乃南アサ
紫蘭の花嫁
謎の男から逃亡を続けるヒロイン、三田村夏季。同じ頃、神奈川県内で連続婦女暴行殺人事件が……。追う者と追われる者の心理が複雑に絡み合う、傑作長篇ミステリー。（谷崎光）
の-7-1

（　）内は解説者。品切の節はご容赦下さい。

冷たい誘惑
乃南アサ

家出娘から平凡な主婦へ、そしてサラリーマンへ。手から手へと渡る一挺のコルト拳銃が「普通の人々」を変貌させていく。精密な心理描写で描く銃の魔性。『引金の履歴』改題。（池田清彦）

の-7-2

暗鬼
乃南アサ

嫁いだ先は大家族。温かい人々に囲まれ何不自由ない生活が始まったが……。一見理想的な家に潜む奇妙な謎に主人公が気付いた時、呪われた血の絆が闇に浮かび上がる。（中村うさぎ）

の-7-3

軀（からだ）
乃南アサ

お臍の整形を娘にせがまれた母親。女性の膝に興奮するサラリーマン。「アヒルのようなお尻」と言われた女子高生——。日常が一瞬で非日常に激変する「怖さ」を描く新感覚ホラー。

の-7-4

水の中のふたつの月
乃南アサ

偶然再会したかつての仲良し三人組。過去の記憶がよみがえるとき、あの夏の日に封印された暗い秘密と、心の奥の醜さが姿をあらわす。人間の弱さと脆さを描く心理サスペンス・ホラー。

の-7-5

魔女
樋口有介

就職浪人の広也は二年前に別れた恋人・千秋の死を知る。彼女は中世の魔女狩りのように生きながら焼かれた。事件を探る内に見えてきた千秋の正体とは。長篇ミステリー。（香山二三郎）

ひ-7-3

枯葉色グッドバイ
樋口有介

ホームレスの元刑事、椎葉は後輩のモテない女刑事に日当二千円で雇われ、一家惨殺事件の推理に乗りだすが——。青春ミステリの名手が清冽な筆致で描く、人生の秋の物語。（池上冬樹）

ひ-7-4

（　）内は解説者。品切の節はご容赦下さい。

今野敏
曙光の街
元KGBの日露混血の殺し屋が日本に潜入した。彼を迎え撃つのはヤクザと警視庁外事課員。やがて物語は単なる暗殺事件から警視庁上層部のスキャンダルへと繋がっていく！（細谷正充）
こ-32-1

近藤史恵
天使はモップを持って
小さな棘のような悪意が平和なオフィスに八つの事件をひきおこす。新人社員の大介には、さっぱり犯人の見当がつかないのだが――名探偵キリコはモップがトレードマーク。（新井素子）
こ-34-1

小森健太朗
グルジェフの残影
革命前夜のロシアに彗星の如く現れた神秘思想家、グルジェフ。ロシア革命の熱気を描きつつ、二十世紀最大の思想家の謎に迫った刺激的な野心作。奥泉光氏との特別対談を収録。（つずみ綾）
こ-35-1

古処《こどころ》誠二
アンノウン
自衛隊は隊員に存在意義を見失わせる「軍隊」だった――。盗聴事件をきっかけに露わになる本当の「敵」とはいったい誰なのか。第十四回メフィスト賞受賞の傑作ミステリ。（宮嶋茂樹）
こ-38-1

五條瑛《あきら》
ヨリックの饗宴
妻子を虐待した末、失踪した兄。その消息を追うハメになった耀二は、やがて政府機密の存在に気づく。「国家」と「家族」、「愛」と「憎悪」に翻弄される兄弟の運命を描いた傑作ミステリ。
こ-39-1

佐々木譲
ユニット
十七歳の少年に妻を殺された男。夫の家庭内暴力に苦しみ、家出した女。同じ職場で働くことになった二人に、魔の手が伸びる。少年犯罪と復讐権、家族のあり方を問う長篇。（西上心太）
さ-43-1